selbst ist der Mann

Nützliche und schöne Kleinmöbel

Das Heimwerkerbuch mit vielen farbigen Abbildungen

MOEWIG

Verlagsunion Erich Pabel-Arthur Moewig KG, Rastatt

Sämtliche Anleitungen und Abbildungen stammen, sofern nicht anders angegeben, aus dem Redaktionsarchiv der Zeitschrift „Selbst ist der Mann“, Köln. Alle Angaben zu Material, Anwendung und Verarbeitung wurden sorgfältig geprüft. Dennoch muß im Einzelfall entschieden werden, ob die Bauvorschläge für den konkreten Verwendungszweck geeignet sind. Der Verlag kann eine Haftung für Personen-, Sach- oder Vermögensschäden, die sich aufgrund von Arbeiten gemäß den in diesem Band gesammelten Anleitungen ergeben, nicht übernehmen.

4. Auflage

Originalausgabe

Redaktion: Gerrit Wöckener
Umschlagentwurf und -gestaltung: Werbeagentur Zeuner, Ettlingen
Umschlagfotos: Redaktionsarchiv „Selbst ist der Mann“
Auslieferung in Österreich:
Pressegroßvertrieb Salzburg Gesellschaft m. b. H.,
Niederalm 300, A-5081 Anif
Printed in Germany 1991
Druck und Bindung: Mohndruck
Graphische Betriebe GmbH, Gütersloh
ISBN 3-8118-8340-2

Inhalt

Couchtisch mit Innenleben

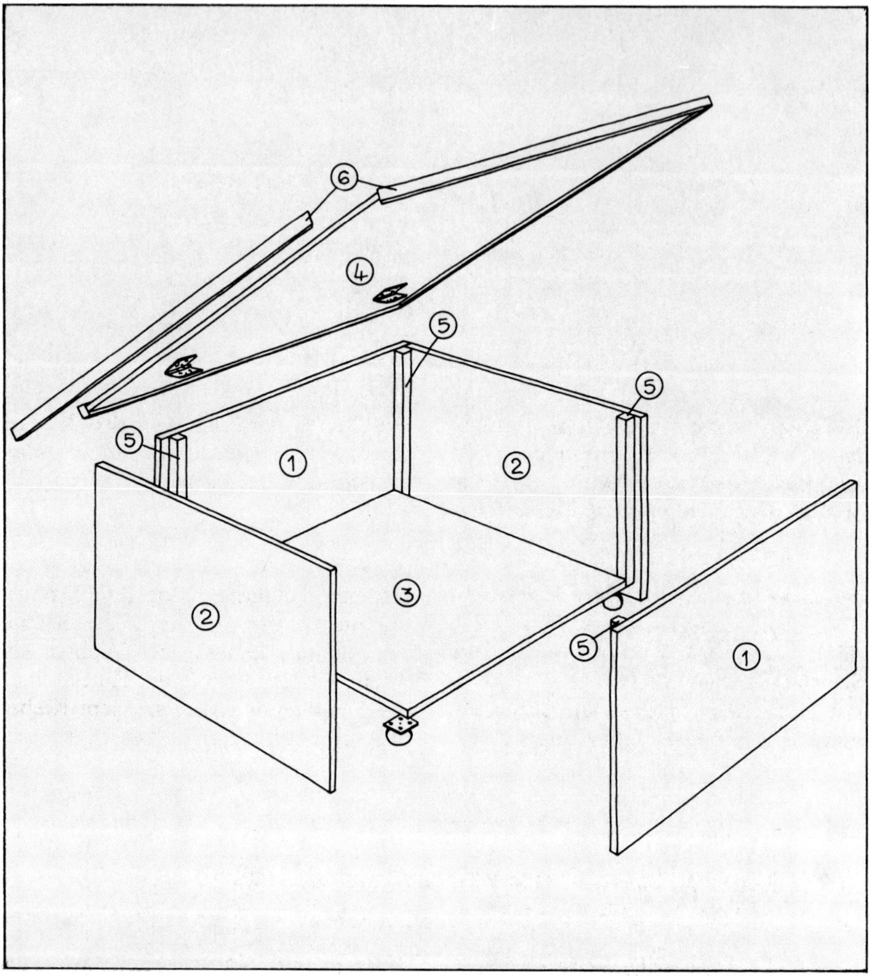

Die Korpusteile sind stumpf verleimt, verschraubt und zusätzlich durch vier Eckleisten verstärkt. Wer kein Bettzeug in dem Tisch verstauen will, kann auf die seitlichen Lüftungsschlitze im Boden verzichten und die Platte entsprechend 40 mm breiter zuschneiden.

Ob im Jugendzimmer unterm Dach, in der Junggesellenwohnung oder dem Appartement: Hier wird überall mit dem Platz geknausert. Da kommt ein Couchtisch mit praktischem Innenleben gerade recht. Er schluckt das Bettzeug für die Schlafcouch oder hält Zeitschriften, Bücher und ähnliches raumsparend griffbereit. Der Zusammenbau des pfiffigen Beistelltischs ist denkbar einfach. Den Korpus stumpf verleimen und die Verbindungen mit Holzschrauben und Eckleisten stabilisieren. Den Boden drei Zentimeter über der Unterkante einsetzen, damit die Möbelrollen später ver-

Holzleim und Spanplattenschrauben halten die Korpusteile zusammen. Die Schraublöcher verspachteln und anschließend die Fläche sauberschleifen.

Der Boden wird etwas in den Korpus hineingezogen, damit die Möbelrollen nahezu ganz verschwinden.

deckt werden. Schraublöcher und etwaige Unebenheiten am Korpus sorgfältig verspachteln und mit dem Schwingschleifer glätten.

Die Tischplatte erhält einen Umleimer und wird mit zwei Scharnieren angeschlagen. Zunächst jedoch alle Flächen grundieren, dann mit der Walze lackieren und zum Schluß nach Wunsch ein Streifendekor aufsprühen. Zuletzt wird der Spiegel mit doppelseitigem Klebeband an der Tischplatte befestigt.

Materialliste

Pos.	Anz.	Bezeichnung	Maße in mm	Material
1 2 3	2 2 1	Seitenplatten Seitenplatten Bodenplatte	600 × 400 568 × 400 568 × 528	Spanplatte 16 mm dick
4	1	Tischplatte	780 × 780	Tischlerpl. 16 mm dick
5	4	Eckleisten	360 lang	Fichte 20 × 20 mm
6	4	Kantenleisten	800 lang	Fichte 25 × 10 mm

1 Kristallspiegel 4 mm dick, 779 × 779 mm; 4 Möbelrollen, 40 mm hoch; 2 Scharniere, geöffnet 100 mm; 2 Filzpuffer in Scharnierdicke; doppelseitiges Spiegelklebeband; 1 Kette, ca. 600 mm lang; Schnellbauschrauben 3,5 × 40; Holzleim.

Mit der Feinsäge schneidet man die Umleimer exakt auf Gehrung.

Der Spiegel wird mit doppelseitigem Klebeband auf der Tischplatte befestigt, allerdings erst, nachdem . . .

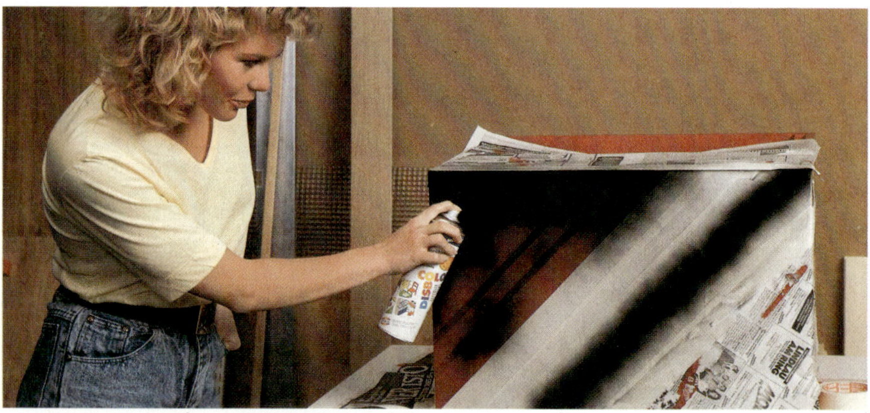

. . . alle Teile mit Grundierung vorbehandelt und schließlich mit umweltfreundlichem wasserlöslichem Acryllack „gestrichen“ wurden.

Mit diesem Pult klappt's

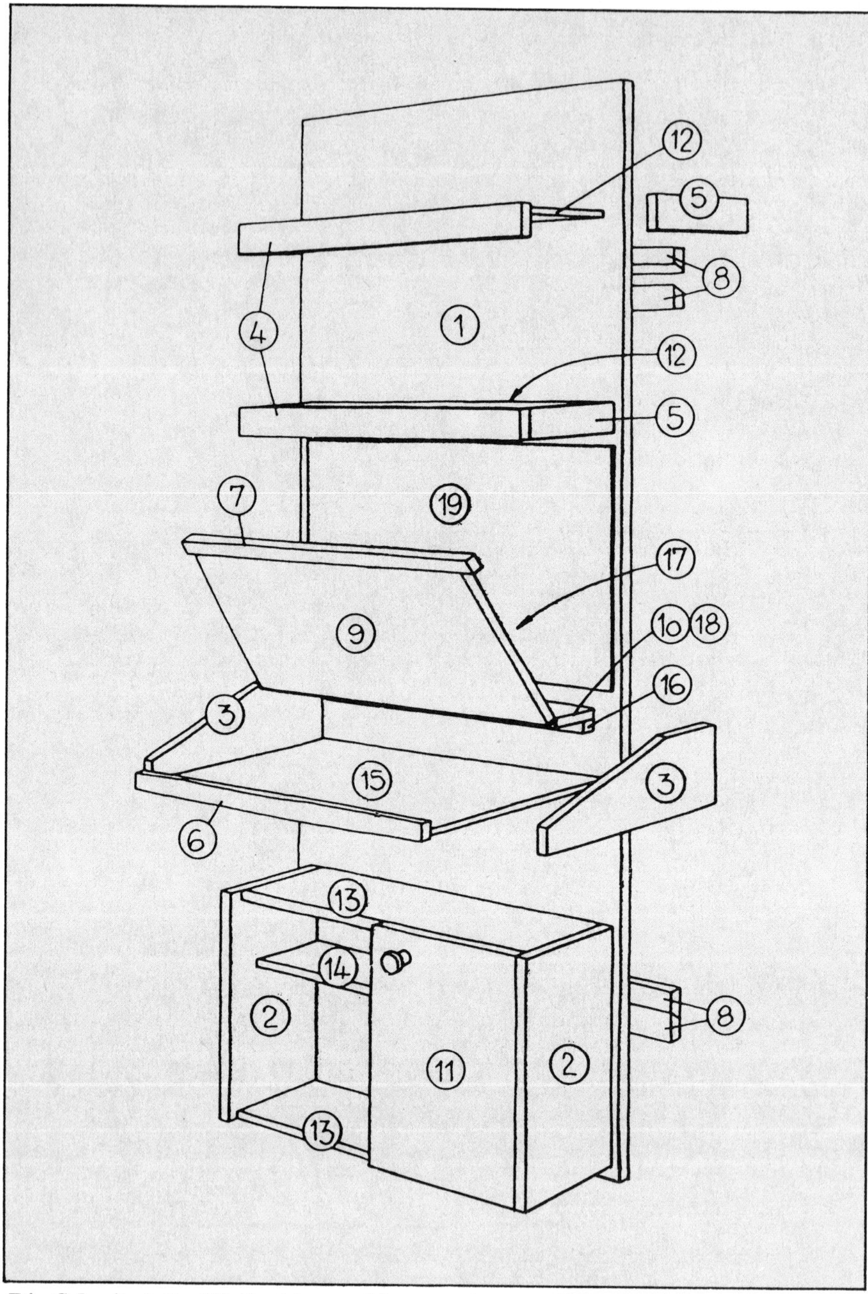

Die Schreibplatte (9) liegt in geschlossenem Zustand zwischen den beiden Seitenteilen (3) und mit der (nur an der oberen Längskante abgeschrägten) Griffleiste (7) vorne bündig auf der Frontblende (6) auf.

Klappe auf, das Kochbuch zur Hand genommen, und schon können Sie zur Sache kommen. Fast genauso rasch geht es beim Bau des Stehpultes zu. Alles, was Sie an „Zutaten" brauchen, steht in der Materialliste. Für den Zuschnitt der Leimholzteile benötigen Sie folgende Fertigplatten: zwei 120 × 25 und eine 200 × 60 cm große. Beginnen Sie, nachdem alle Teile nach Materialliste vorgefertigt sind, mit dem Anbringen der Aufhängeleisten an der Raum- und an der Rückwand. Beachten Sie dabei, daß beide (!) Leisten der Rückwand „satt" auf den mit der Wand verdübelten liegen, damit nicht doch nur eine die ganze Last trägt. Erst wenn das funktioniert, sollten Sie die Rückwand mit Regalböden, Schreibkasten und Schrankteil bestücken. Diese Elemente werden vorgefertigt und dann – in der genannten Reihenfolge – mit der tragenden Wand verleimt und verschraubt. Den Zusammenbau der Regalböden erläutert Bild 2. Wer's komfortabel mag, kann den unteren Boden noch mit einer Linestra-Röhre ausrüsten. Die Schreibplatte erhält an beiden langen Kanten die gleiche 18 Grad-Schräge, die auch die Seitenteile des Schreibkastens haben. Alle starr miteinander verbundenen Teile von

Materialliste

Pos.	Anz.	Bezeichnung	Maße in mm	Material
1	1	Rückwand	1680 × 600	Kiefer-Leimh. 19/20 mm dick
2	2	Seitenwände	370 × 180	
3	2	Seitenteile	360 × 130	
4	2	Frontblenden	580 × 50	
5	4	Seitenblenden	160 × 50	
6	1	Frontblende	580 × 30	
7	1	Griffleiste	580 × 26	
8	4	Aufhängeleisten	520 × 50	
9	1	Schreibplatte	536 × 300	Tischlerpl. 16 mm dick
10	1	Anschlagbrett	536 × 80	
11	2	Türen	369 × 269	
12	2	Regalböden	540 × 160	Spanplatte weiß 13 mm dick
13	2	Schrankböden	540 × 160	
14	1	Einlegeboden	540 × 150	
15	1	Kastenboden	540 × 360	
16	1	Eckverstärkung	535 lang	Kiefer 20 × 20 mm
17	1	Beschichtung	536 × 300	Resopal 1 mm dick
18	1	Beschichtung	536 × 80	
19	1	Pinnwand	536 × 360	Kork 4 mm dick

1 Klavierband, 535 mm lang; 2 Paar Topfscharniere für inliegende Türen; 2 Möbelknöpfe; 1 Linestra-Leuchte, 300 mm lang; Spanplatten-Schrauben; Zweikomponenten-Kleber; Holzdübel; Holzleim.

Schreibkasten und Schrank sind stumpf verleimt. Zusätzliche Dübel erhöhen die Stabilität wesentlich. Die Türen sind mit Topfscharnieren angeschlagen.

Man kann hier auch Klavierband verwenden. Dann müssen die Türen aber um jeweils drei Millimeter schmaler werden.

Die einseitig abgeschrägten Aufhängeleisten werden auf der Rückwand verschraubt, die Gegenstücke an der Wand.

Beide Regalböden erhalten Blenden und werden dann unter Leimzugabe mit der Rückwand verschraubt.

Eine Kunststoffbeschichtung wird auf Anschlagbrett und Schreibplatte angebracht.

Klappe und Anschlagbrett werden durch Klavierband miteinander verbunden.

Der rollende Helfer

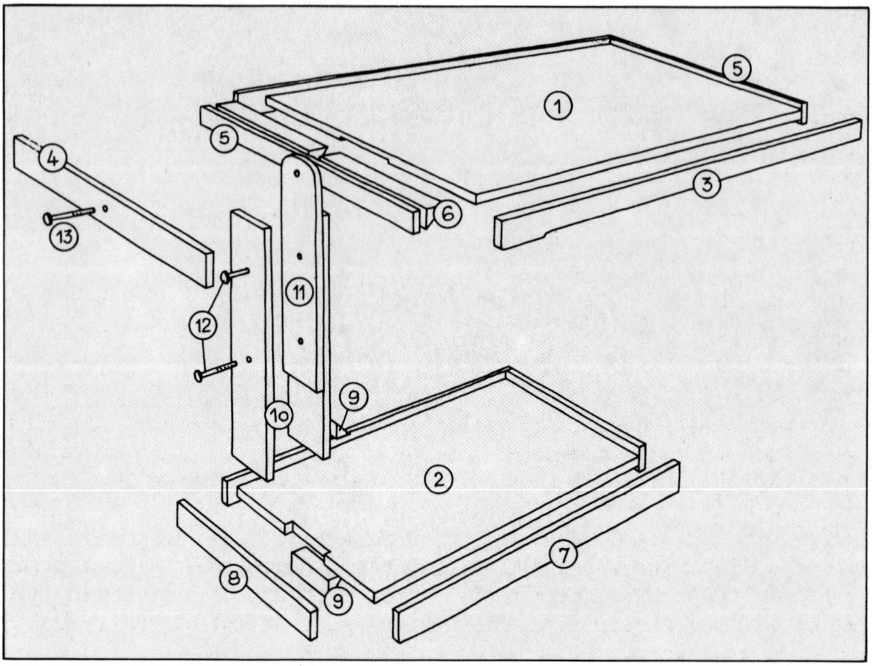

An Werkzeug benötigen Sie: Bohrständer, Bohrmaschine, Stechbeitel, Schraubendreher, Hammer, Feile, Feinsäge.
Der Bohrständer ist wichtig, weil die Löcher in den Stützleisten und in der Schiebeleiste ganz exakt gebohrt werden müssen, um die Verstellbarkeit des Tischs zu gewährleisten.

Das war auch für das Möbelhaus ungewöhnlich. „selbst"-Redakteurin Wolfhild Kostopoulos frühstückte im Bett, umringt von einer dichten Menschentraube. Partner beim Frühstück in den Ausstellungshallen: ein variabler Geselle, der sich als rollender Beistelltisch oder als Ablage für Papiere und Zeitschriften verwenden läßt. Die oben abgerundete Schiebeleiste ermöglicht eine praktische Höhenverstellung. Außerdem läßt sich so die Neigung der Tischplatte stufenlos variieren.

Und so gehen Sie beim Nachbau vor: Nachdem an der unteren Seite der Tischplatte (1) eine Aussparung für die Schiebeleiste geschaffen wurde, die drei Leisten (3) und (4) sowie eine Leiste (5) so aufleimen, daß sie nach oben 5 mm überstehen.

Die langen Leisten (3) verjüngen sich von den Stützleisten weg auf 36 mm. Die zweite Leiste (5) wird mit 20 mm Abstand zur Tischkante unter die Oberplatte geleimt. 50 mm von den Oberkanten der Stützleisten (10) entfernt ein Loch bohren, das zweite nach 240 mm. Die Lochabstände auf der zwischen den Stützleisten liegenden Schiebeleiste (11) betragen jeweils 60 mm.

Bevor die Randleisten (7) und (8) an die Unterplatte (2) geleimt werden, ein Stück der Platte passend für die innere Stützleiste ausklinken. Der nächste Arbeitsgang ist das Einleimen und Ver-

Unter die Oberplatte (1) eine Leiste (5) mit einem Abstand von 20 mm zur Tischkante leimen.

Damit die Schiebeleiste genügend Spielraum erhält, untere Seite der Tischplatte etwas ausstemmen.

schrauben der Stützleisten. Danach können Sie die Eckleisten (6) und (9) zur Verstärkung unter die Platten leimen. Die Schiebeleiste zwischen die beiden Stützleisten schieben und mit zwei Schloßschrauben feststellen. Mit einer weiteren Schraube verbinden Sie Schiebeleiste und Platte.

Materialliste

Pos.	Anz.	Bezeichnung	Maße in mm	Material
1 2	1 1	Platte, oben Platte, unten	660 × 400 580 × 400	Tischlerpl. Kiefer 19 mm
3 4	2 1	Leisten Leiste	700 lang 400 lang	Tanne 60 × 20 mm
5	2	Leisten	400 lang	36 × 20 mm
6	2	Eckleisten	185 lang	30 × 30 mm
7 8	2 2	Leisten Leisten	620 lang 360 lang	50 × 20 mm
9	2	Eckleisten	80 lang	30 × 30 mm
10 11	2 1	Stützleisten Schiebeleiste	550 lang 500 lang	80 × 20 mm
12 13	2 1	Schloßschrauben Schloßschraube	M6 × 70 M8 × 70	mit U-Scheiben u. Flügelmuttern

4 Möbelrollen 50 mm hoch; 16 Holzschrauben 3,0 × 16; 4 Holzschrauben 4,0 × 35; Holzleim.

Die Schiebeleiste an der Tischplatte befestigen. Eckleisten (6) zur Verstärkung aufleimen.

Stützleiste einleimen, festschrauben, die zweite Stützleiste anbringen und die Schrauben versetzt eindrehen.

Eckleiste (9) zur Verstärkung aufleimen und vier Möbelrollen unterschrauben. Die Schiebeleiste (an der Oberplatte befestigt) zwischen die beiden Stützleisten schieben und mit Schloßschrauben (12) arretieren.

Nach Wunsch: Tisch oder Regal

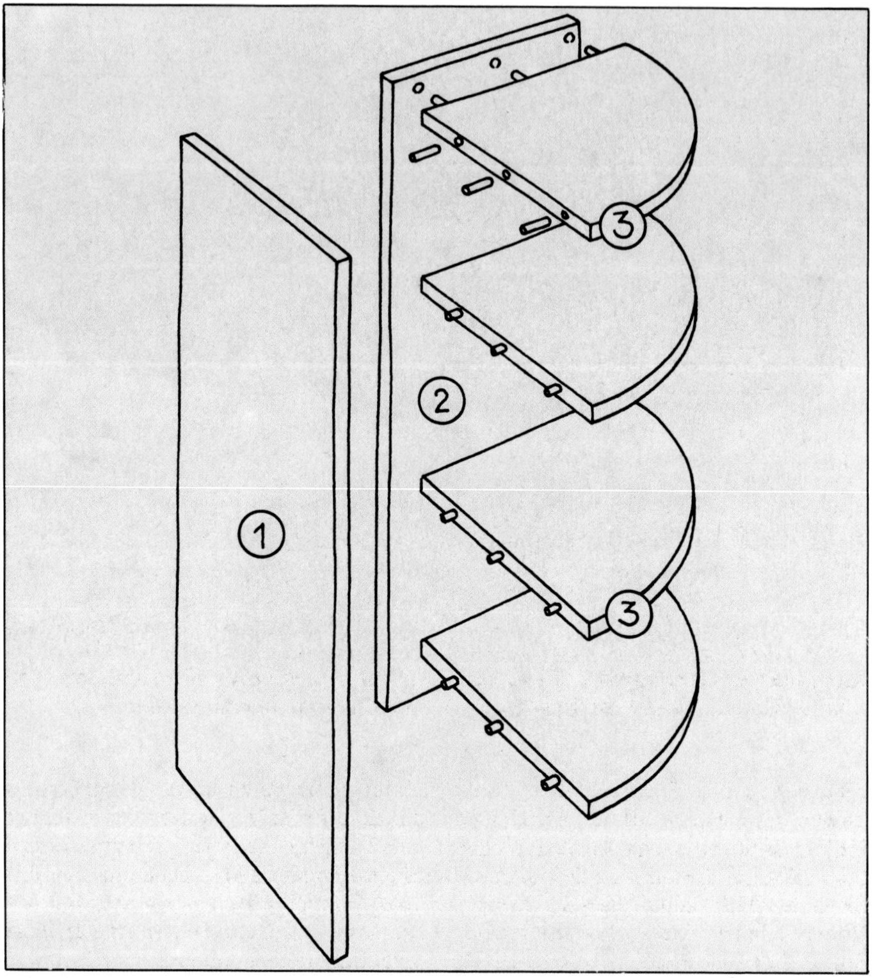

Die viertelrunden Elemente lassen sich ganz unterschiedlich einsetzen: als Wandregal ebenso wie – vier davon zusammengeschraubt - als Untergestell für einen runden Tisch. Die Materialliste enthält alle „Zutaten“ für ein Element. Das „Rezept“ für den Zusammenbau finden Sie auf den folgenden Seiten.

Was Mathematiker schon immer behauptet haben, bestätigt sich hier in der Praxis: Vier rechtwinklige Kreissektoren werden leicht zu einer runden Sache. Deshalb kommt ein Hängeregal wie im Foto rechts oben – an sich schon ein recht nützliches Ding – selten allein. Wer nämlich dessen wahre Qualitäten ganz ausschöpfen möchte, der wird sich nicht mit einem einzigen Exemplar zufriedengeben. Wie vielfältig die Kombinationsmöglichkeiten sind, werden Sie sehen, wenn Sie Ihre vier Elemente selbst zusammenstellen:

Hier eine Verwendungmöglichkeit: Das stabile Wandregal ist schnell fertig, leicht angebracht, sieht gut aus und kann allerhand aufnehmen.

Man kann sie einzeln als Eckregal, zu zweien im Halbkreis an der Wand oder als Dreier-Set um einen Vorsprung herum aufbauen. Pro Element brauchen Sie nur drei Leimholzbretter; die vier Böden können Sie aus einem großen Stück heraüsschneiden. Achten Sie beim Zuschneiden darauf, daß jeweils eines der beiden Seitenteile schmaler ausfallen muß, damit sich beim Zusammenbau das richtige Innenmaß ergibt. Wenn man die Böden vor dem Bohren numeriert, lassen sie sich später ganz exakt zusammendübeln.

Materialliste

Pos.	Anz.	Bezeichnung	Maße in mm	Material
1	1	Seitenwand	800 × 300	Leimholz
2	1	Seitenwand	800 × 280	19/20 mm
3	4	Böden	275 × 275	dick

24 Holzdübel ∅ 8 × 40; Holzleim.

Mit der Stichsäge die Böden ausschneiden (Radius 27,5 cm) und die . . .

. . . runden Kanten sauber schleifen. Man kann sie dabei mit einer leichten Fase versehen.

Mit der Dübelhilfe in jede Seite drei Löcher bohren (8 mm).

Die Dübel einsetzen und die erste Seite verleimen. Sobald der Leim abgebunden hat, kommt die zweite Seite dran.

Spiegelkästen – Glänzende Bausteine

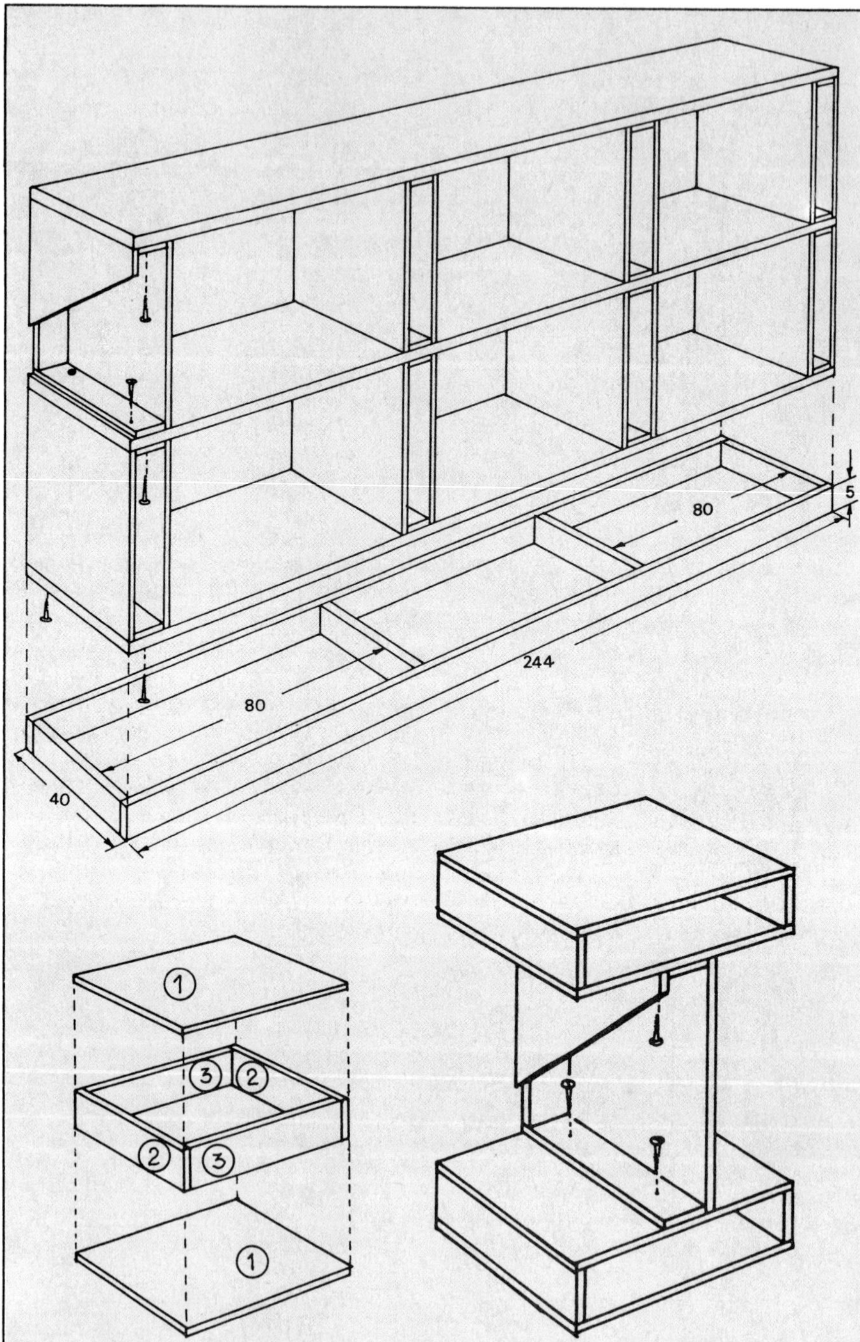
5
80
244
80
40
1
3
2
2
3
1

Das Grundelement unserer Möbel mißt 40 x 40 x 10 cm und besteht aus 13-mm-Spanplatte, an allen sichtbaren Seiten mit Spiegeln beklebt. Der Spiegeleffekt fasziniert das Auge, aus jedem Blickwinkel sehen die Möbel anders aus.
Wenn Sie drei bis fünf Elemente bauen, können Sie nach Wunsch nicht weniger als fünf verschiedene kleine Beistelltische oder einen großen Couchtisch daraus zusammenfügen. Aus acht Elementen entsteht das wunderschöne Regal auf Seite 27. Neben den immer gleichen Spiegelelementen brauchen Sie nur wenige Zusatzteile wie die Glasplatte für den Couchtisch oder den Sockel und die Zwischenböden für das Regal.

Am besten lassen Sie sich die für Ihren Bedarf nötigen Spanplattenteile und Spiegel auf Maß zuschneiden. Dann ist der Zusammenbau Minutensache. Die Kanten werden mit Holzleim bestrichen, dann die Teile mit feinen Stiften stumpf zusammengenagelt. Die Spiegel sind 2 mm dick und messen in jeder Richtung 2 mm weniger als die Spanplattenkästen. Deshalb müssen die zwischen den Spiegeln sichtbaren Kanten schwarz gestrichen werden. Zum Verkleben der Spiegel haben wir Bostik 25 benutzt, den auch der Glaser verwendet. Doppelseitiges Spiegelklebeband ist für diesen Zweck nicht geeignet, weil die Flächen einer Druckbelastung ausgesetzt sind.

Die Materialliste (unten) und die kleine mit Positionsziffern versehene Zeichnung (linke Seite) zeigen Ihnen, was Sie für ein allseitig verspiegeltes Grundelement an Material benötigen. Bei verschraubten Objekten, wie dem Telefontisch oder dem Regal, entfallen die Rückwände und die betreffenden Spiegelflächen. Beim Telefontisch (Bild links außen) sind überdies vier Spiegel im Sondermaß von 14,6 x 39,8 cm erforderlich.

Auf Seite 23 stellen wir Ihnen zwei Couchtische vor, die aus je vier Grundelementen und einer Glasplatte von 1,20 × 1,20 m zusammengestellt wurden. Die 8 mm dicke Platte liegt auf vier transparenten Plastikscheiben auf. Ganz gleich, für welche Anordnung der Elemente Sie sich entscheiden, der Tisch steht immer felsenfest durch das Eigengewicht der schweren Glasplatte. Wegen der Punktbelastung der oberen Spiegelflächen müssen diese vollkommen glattflächig mit dem Spanplattenkorpus verklebt sein.

Materialliste

Pos.	Anz.	Bezeichnung	Maße in mm	Material
1	2	Böden	400 × 400	Spanplatte 13 mm dick
2	2	Seiten	400 × 74	
3	2	Seiten	374 × 74	

2 Spiegel 398 × 398; 4 Spiegel 398 × 98, alle 2 mm dick; Nägel; Holzleim; Spiegelkleber Bostik 25.

Zwei Variationen zum Thema Beistelltisch, kombiniert aus drei Grundelementen. Der Telefontisch ist hinten offen und bietet damit Ablagefläche für Schreibutensilien und Telefonbuch. Er wird verdeckt verschraubt. Es stehen also keine Spiegelflächen unmittelbar aufeinander; daher benötigt man für die beiden geteilten Flächen vier Spiegel mit einem Maß von 14,6 x 39,8 cm.

Dieser originelle Beistelltisch wurde aus drei kompletten Elementen zusammengestellt und mit einem Spezialkleber verbunden. Dieses System läßt sich natürlich noch wesentlich erweitern und bekommt noch mehr Variationsmöglichkeiten, wenn man die Anzahl der Grundelemente erhöht.

Für das 244 cm breite Sideboard benötigen Sie acht Spiegelelemente, jeweils ohne Rückwand und nur dreiseitig verspiegelt, damit Sie die Elemente verdeckt mit den Böden und dem Sockel verschrauben können. Böden und Sockel bestehen aus 19-mm-Spanplatten. Kanten und Flächen der Platten sorgfältig spachteln und schleifen, anschließend mit zweifachem Zwischenschliff lackieren.

Die vorbereiteten Einzelteile, aus denen ein von allen Seiten verspiegeltes Grundelement entsteht.

Die Spanplattenteile werden unter Leimzugabe stumpf zusammengenagelt. Hier kommt gerade die Deckplatte auf den Korpus.

Sind alle Kanten des Spanplattenkorpus schwarz gestrichen, werden die Spiegel mit einem Spezialkleber auf den dafür vorgesehenen Flächen befestigt.

So wird das Podest des Sideboards zusammengebaut. Auf diesen Sockel kommen senkrecht die hinten offenen Grundelemente, die dann verdeckt mit dem Podest verschraubt werden.

Tisch mit zwei Seiten

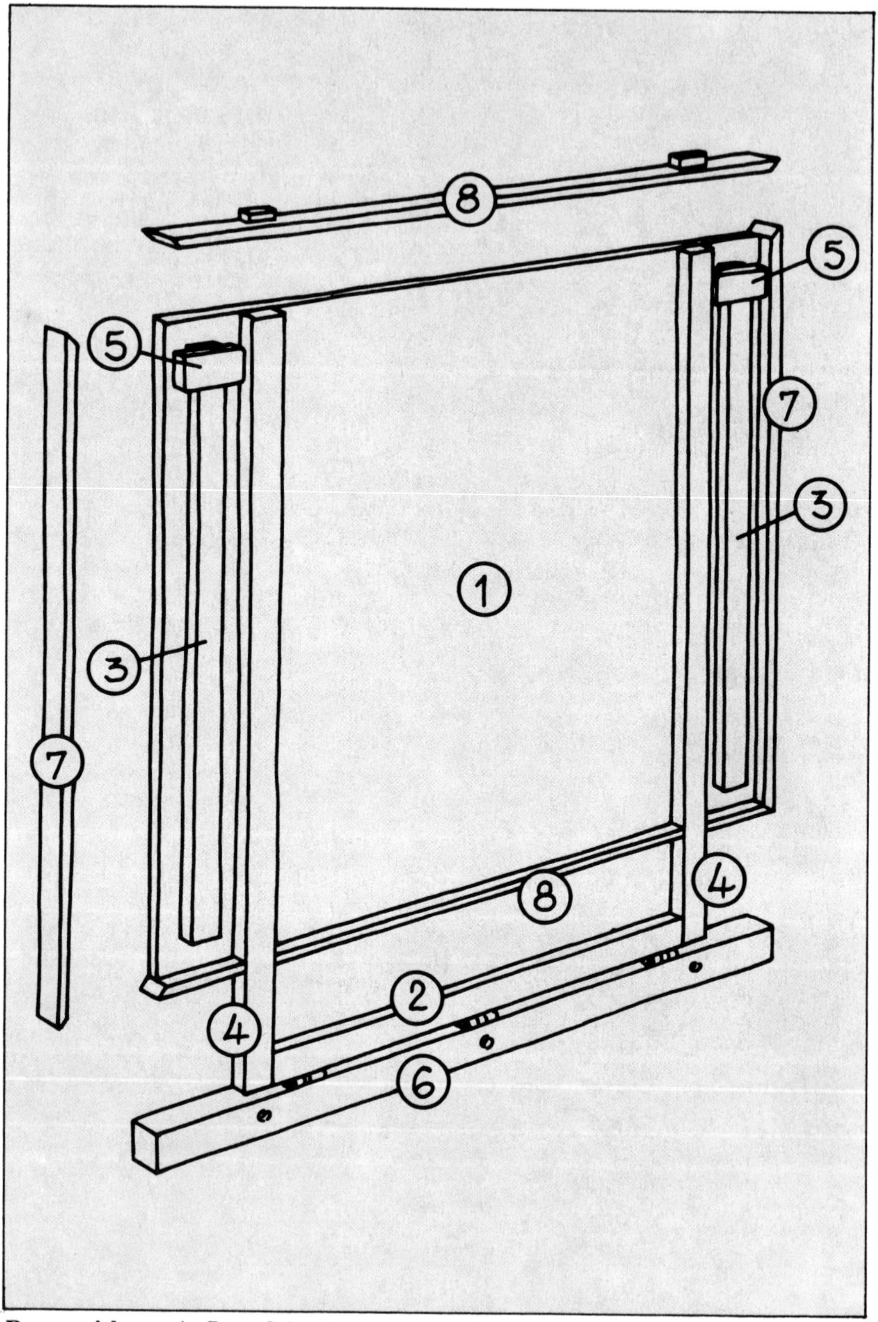

Der gezeichnete Aufbau. Scharniere verbinden die Teile 2 und 6 sowie 1 und 5. ***Die exakten Maße der einzelnen Teile finden Sie in der Materialliste.***

Mit nur einem einzigen Handgriff verwandelt sich der praktische Zeichentisch in einen nicht alltäglichen Bilderrahmen: Die Unterseite des Tisches haben wir nämlich einfach mit einem schönen Poster beklebt. Die Beine klappen von selbst ein, die Tischplatte steht fest auf der Wandleiste und wird oben noch von Magnetschnäppern gehalten. Die ausgeklappte Tischplatte ist leicht schräg montiert – ideal für alle Zeichenarbeiten oder zum Schreiben. Sie können sie natürlich auch waagerecht befestigen, indem Sie die Wandhalterung entsprechend niedriger anbringen.

Der Bau ist ganz einfach: Die Rahmenleisten (2 und 4) mit je zwei Holzdübeln und Leim verbinden. Ebenso die Kopfleisten (5) mittig auf den Stützen (3) befestigen. Die Abschlußleisten auf Gehrung schneiden, in der unteren zwei Aussparungen für den Rahmen aussägen. Die Abschlußleisten bündig um die Tischplatte, den Halbrahmen auf die Platte leimen und nageln. Tischplatte, Beine und Wandhalterung (6) getrennt grundieren und lackieren. Sind die Teile völlig trocken, die Beine mittig zwischen Abschluß- und Rahmenleisten mit Scharnieren unter der Tischplatte festschrauben.

Dann die Wandhalterung mit der Wand verdübeln und verschrauben. Wählen Sie entsprechend starke Schrauben und Dübel. Bei schräger Tischplatte ist die Oberkante der Wandhalterung 80 cm vom Boden entfernt, sonst entsprechend weniger. Das vorstehende Rahmenteil der Tischplatte und die Wandhalterung mit drei Scharnieren verbinden. Die beiden Magnetschnäpper – sie sorgen für den Halt der hochgeklappten Platte – mit der Tischvorderkante und die Gegenstücke mit der Wand verschrauben.

Materialliste

Pos.	Anz.	Bezeichnung	Maße in mm	Material
1	1	Arbeitsplatte	984×784	Spanplatte 16 mm
2	1	Rahmenleiste	676 lang	Kiefer 44×21 mm
3	2	Stützen	656 lang	
4	2	Rahmenleisten	950 lang	
5	2	Kopfleisten	90 lang	
6	1	Wandhalterung	1000 lang	Kiefer 44×44 mm
7	2	Abschlußleisten	800 lang	Kiefer 37×8 mm
8	2	Abschlußleisten	1000 lang	

2 Magnetschnäpper; 5 Scharniere 50×50 mm; Nägel; Holzdübel Ø8×40; Schnellbauschrauben; Holzleim.

Rahmenleisten und Beine unter die Platte nageln beziehungsweise montieren.

Das Halteholz sehr fest mit der Wand verbinden.

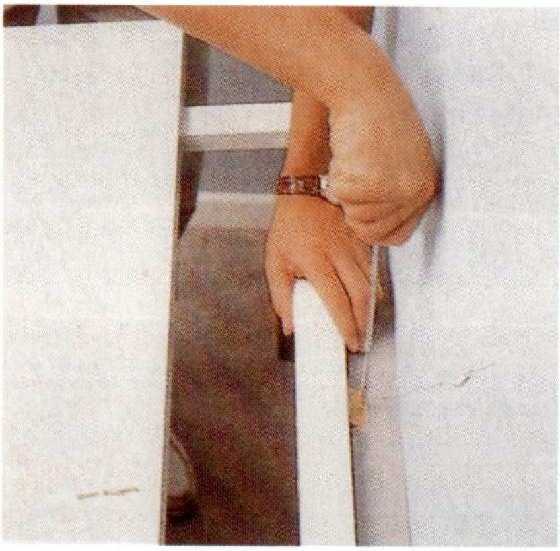

Drei Scharniere fixieren das vorstehende Rahmenteil der Platte am Halteholz.

Magnetschnäpper halten die hochgeklappte Tischplatte.

Platzsparender Klapptisch

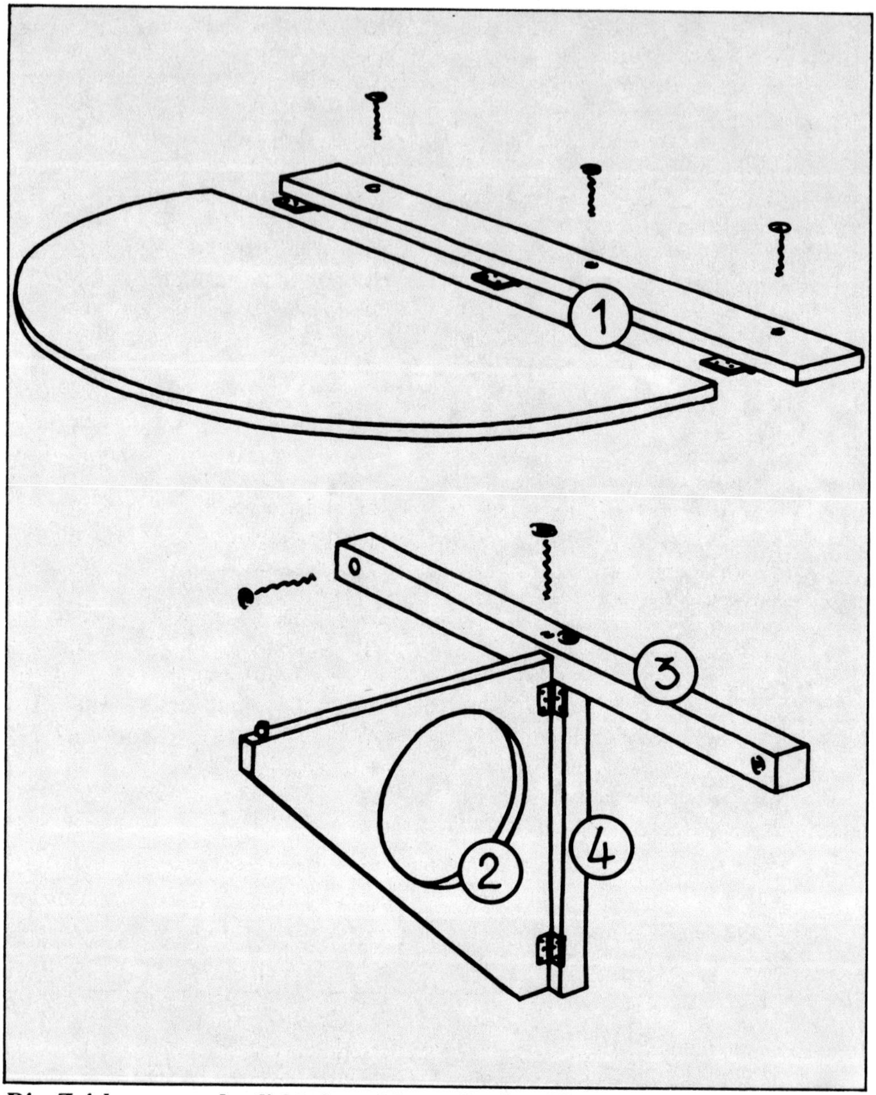

Die Zeichnung verdeutlicht das wirklich einfache Bauprinzip. Scharniere, Schrauben und Dübel sind die verbindenden Elemente. Die Positionsnummern finden Sie in der Materialliste wieder.

Dieser halbrunde Klapptisch ist ein prima Schreibplatz, aber auch in der Küche, im Schlaf- oder Jugendzimmer eine willkommene Arbeits- und Ablagefläche. Weggeklappt ist er nur noch 10 cm tief. Sie können die Größe nach Ihren Platzverhältnissen ändern oder können aus rund eckig machen, wenn Ihnen das besser gefällt. Das Bauprinzip bleibt immer gleich.

Sägen Sie von der Schreibplatte einen Streifen – 1 m lang, 10 cm breit - ab, ehe Sie sie zu einem Halbkreis mit einem Radius von 50 Zentimetern sägen. Die Stützklappe (2) erhält einen Ausschnitt: Einen Eckpunkt, je 13 cm von beiden Seiten entfernt, markieren, von dort einen Kreis mit 10 cm Radius schlagen und das Holz aussägen. Am besten bohren Sie knapp innerhalb der Kreislinie ein Loch, durch das Sie das Sägeblatt der Stichsäge führen.

Von den beiden gegenüberliegenden Seiten je 50 mm stehenlassen, das restliche Holz diagonal absägen. Die Stützklappe an der vorderen Oberkante einbohren und einen Holzdübel mit 6 mm Durchmesser so einschlagen, daß er noch 5 mm heraussteht. Mit diesem Dübel verhindert man, daß die Stützklappe beim Schwenken mit den Scharnieren der Tischplatte kollidiert.

Die Wandhalterung (3) mittig zweimal durchbohren und im rechten Winkel mit der Klappenhalterung verleimen und verschrauben. Schon jetzt alle noch nötigen Bohrungen einbringen (bis auf die der Scharnierbefestigungen) und die Teile einzeln grundieren sowie lakkieren.

Die Wandhalterung dann in gewünschter Höhe – wir wählten vom Boden bis zur Oberkante der Wandhalterung einen Abstand von 70 cm – mit der Wand verschrauben. Die Stützklappe mit zwei Scharnieren so an der Wandhalterung befestigen, daß die Unterkanten bündig sind. Drei Scharniere verbinden Platte und Plattenstreifen. Bei ausgeklappter Stütze legen Sie die Tischplatte auf. Durch drei vorgebohrte Löcher im Plattenstreifen verbinden Schnellbauschrauben den halbrunden Tisch mit der Wandhalterung.

Materialliste

Pos.	Anz.	Bezeichnung	Maße in mm	Material
1	1	Schreibplatte	1000×600	Sperrholz
2	1	Stützklappe	400×400	16 mm dick
3	1	Wandhalterung	816 lang	Kiefer
4	1	Klappenhalterung	361 lang	44×44 mm

5 Scharniere 50×50 mm; 3 Schnellbauschrauben 4,0×30; 5 Schnellbauschrauben 5,0×70; Holzdübel Ø6×30; Holzleim.

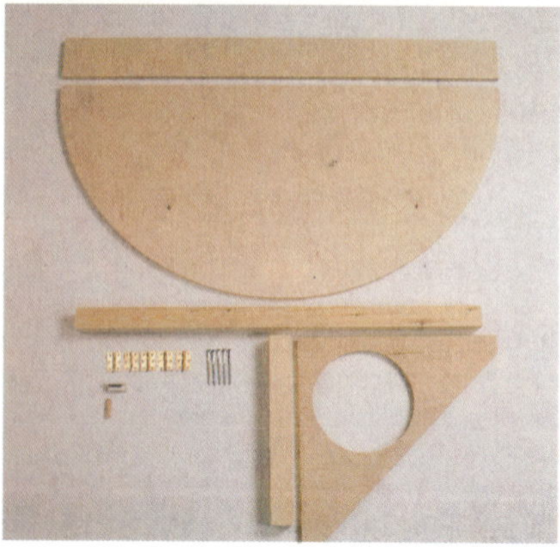

Aus diesen fertig vorbereiteten Teilen entsteht der praktische Schreibtisch.

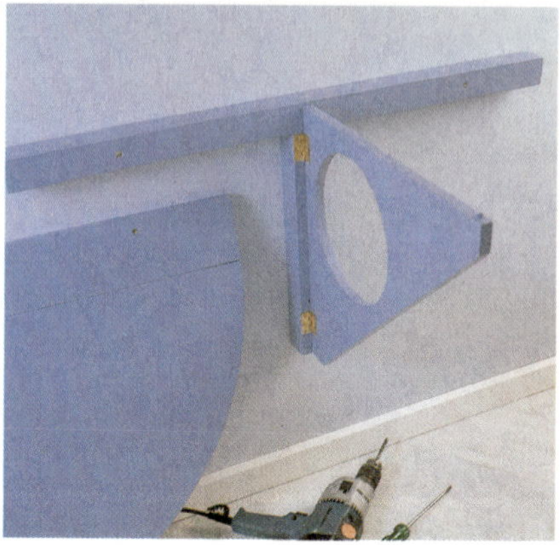

Die gesamte Halterung ist hier schon mit der Stütze an der Wand montiert.

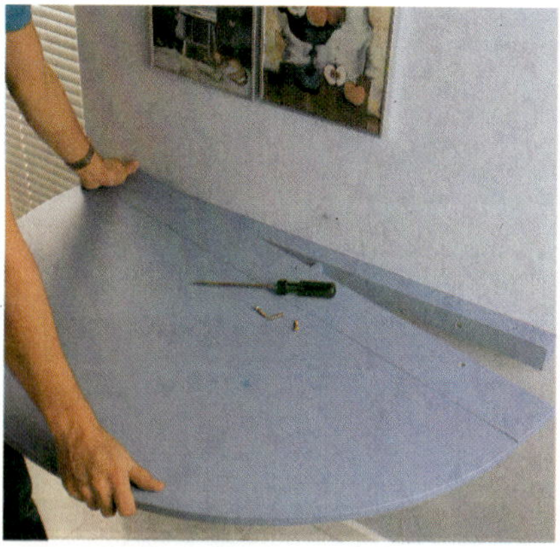

Am Plattenstreifen befestigt man den Tisch an der Wandhalterung.

Nach der Arbeit platzsparend an die Wand geklappt. Die Wandhalterung dient als schmale Ablage.

Ideal für den Durchblick

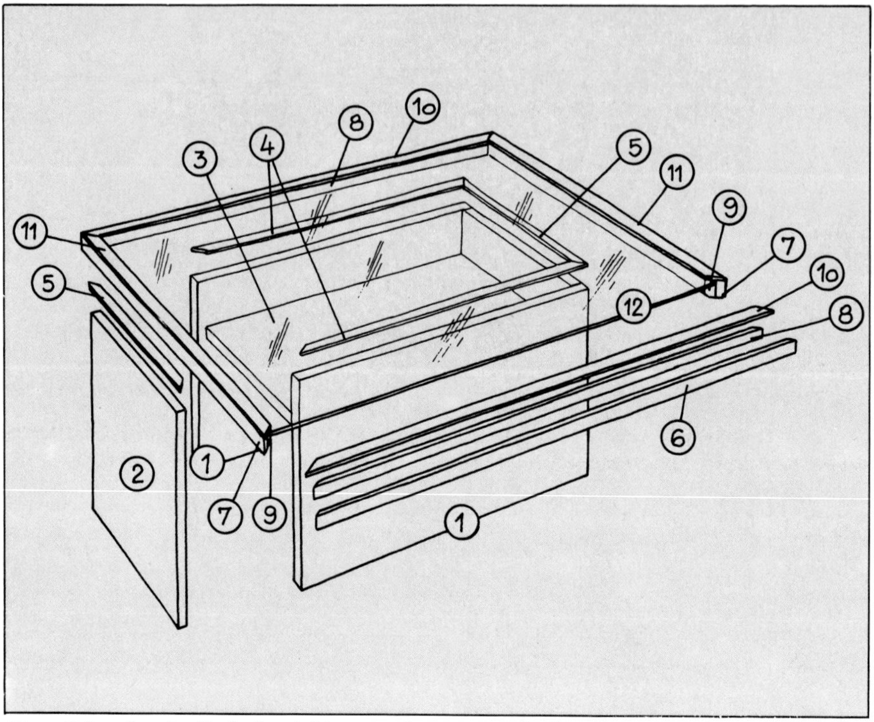

Der Schaufenstertisch besteht aus einem Sockel aus Spanplatten und einer Glasscheibe, die einen Rahmen trägt. Die Zeichnung sieht „gefährlicher“ aus, als der Zusammenbau wirklich ist. Die Materialliste hilft Ihnen beim Zuschnitt.

Wenn liebgewonnene Kleinigkeiten ins Auge fallen sollen, bietet sich das eigene „Schaufenster“ an. Unser Tisch ermöglicht es durch seinen versenkten Zwischenboden und eine aufliegende Glasplatte, Dinge nach dem persönlichen Gusto im „Schaufensterraum“ anzuordnen.

Der neue Blickfang erfordert wenig Aufwand: Der Sockel setzt sich aus fünf 19 mm dicken, nach den Maßangaben der Materialliste zugeschnittenen Spanplatten zusammen. Eine Verkleidung mit Glasfasergewebe gibt dem rohen Sockel ein wohnliches Aussehen. Unser Tip: Streichen Sie das Glasfasergewebe nach dem Aufbringen mit Dispersionskleber (mit 20 % Wasser verdünnt) ein – das spart später Lack. Die Sichtkanten des Sockels werden oben mit leicht abgeschrägten Fichtenleisten verkleidet. Leisten bilden auch den Rahmen der Glasplatte. Sie werden auf Gehrung gesägt, verleimt und verstiftet. Die Kanten sehen leicht gebrochen am besten aus. Die fertige Tischplatte kann nicht mehr verrutschen, wenn Sie zum Schluß eine transparente Gummiauflage auf die Abdeckleisten des Sockels aufbringen. Dann heißt es nur noch: frohes Dekorieren – etwa mit ausgefallenen und erinnerungsträchtigen Urlaubsmitbringseln. Sicherlich fallen Ihnen noch andere Dinge dafür ein.

Die fünf Spanplatten des Tischsockels werden verleimt und verschraubt.

Anschließend legen Sie das Glasfasergewebe in das Kleberbett ein.

Materialliste

Pos.	Anz.	Bezeichnung	Maße in mm	Material
1	2	Längswände	550 × 380	Spanplatte 19 mm dick
2	2	Querwände	262 × 380	
3	1	Zwischenboden	262 × 512	
4	2	Abdeckleisten	550 lang	Kiefer 20 × 5 mm
5	2	Abdeckleisten	300 lang	
6	2	Rahmenleisten	1000 lang	Kiefer 30 × 10 mm
7	2	Rahmenleisten	600 lang	
8	2	Trägerleisten	980 lang	Kiefer 24 × 10 mm
9	2	Trägerleisten	580 lang	
10	2	Abdeckleisten	1000 lang	Kiefer 20 × 5 mm
11	2	Abdeckleisten	600 lang	
12	1	Glasplatte	978 × 578	Planilux 6 mm

2 lfd. m Glasfaser-Gewebe; Dispersionskleber; Acryllack; Holzleim; Spanplattenschrauben; Gummiauflage.

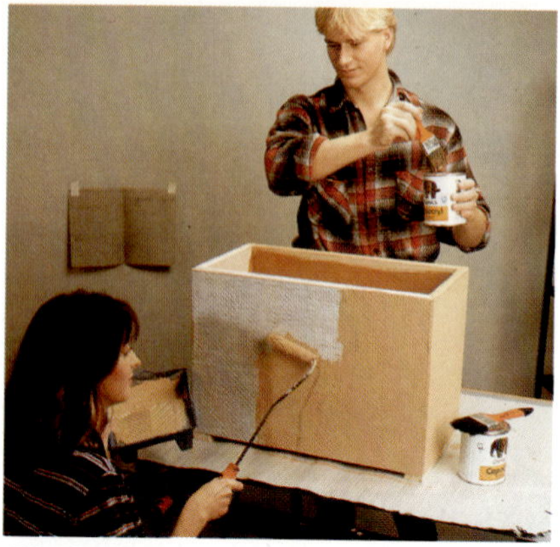

Glasfasergewebe und „Schaufenster" werden mit Acryllack gestrichen.

Der Rahmen für die Tischplatte entsteht aus zwölf Holzleisten.

Glasplatte einlegen, bevor die letzten vier Leisten angebracht werden.

Der „Schaufensterraum" wird nach Belieben gestaltet.

Möbel mit System

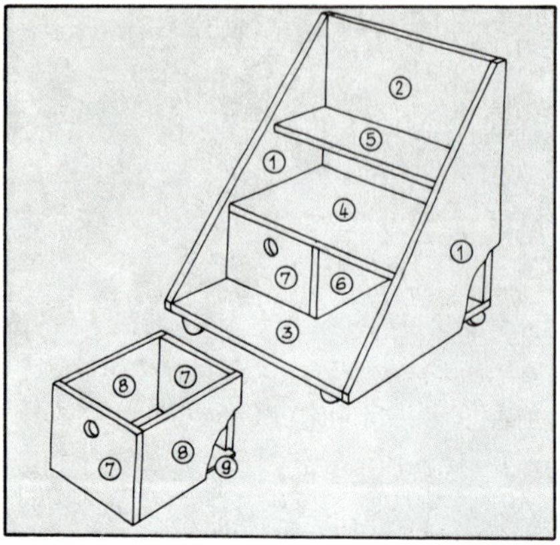

Außenecke mit zwei Schubladen. Die „Regaltreppe“ mit zwei Schubladen ist – ebenso wie die anderen hier vorgestellten Kleinmöbel – denkbar einfach zusammengesetzt, nämlich stumpf verleimt und verschraubt (Schrauben gut versenken und die Löcher spachteln).

So sieht das Regal aus, wenn es nahezu fertig ist. Hier fehlen nur die Lackierung und die Möbelrollen. Bei diesem Regal sind Sie natürlich nicht an eine Ecke gebunden, sondern Sie können es auch frei aufstellen oder als Nachttisch-Ersatz verwenden.

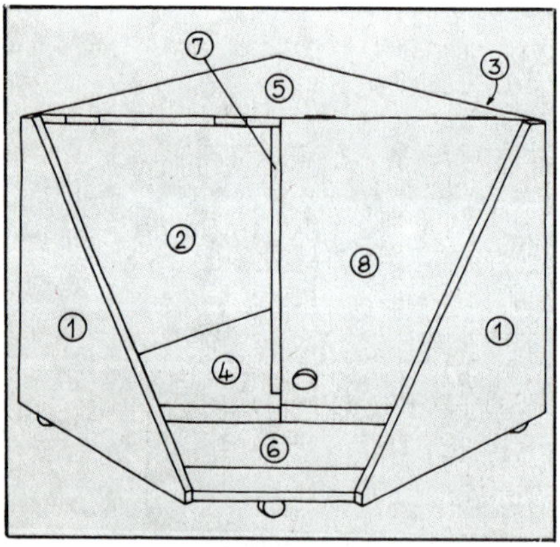

Der Eckschrank. Die beiden Klappen des Eckelements können Sie auf zwei unterschiedliche Arten befestigen: entweder mit vier Scharnieren oder mit Klavierband an der Kopfplatte.

Und wieder das fast fertige Möbelstück. Die Türen werden nach oben geklappt. Auf Beschläge haben wir bei diesen Systemmöbeln bewußt verzichtet; sie werden durch Grifflöcher ersetzt, die mit dem Forstner-Bohrer in die Platten gebohrt werden.

Unsere dekorativen Beistelltischchen und die praktischen Eckmöbel sind ein gutes Beispiel dafür, wie zweckmäßige und moderne Möbel aussehen können. Die Eckkombination läßt sich nach Belieben erweitern, indem man das Element mit den Schubladen mehrmals herstellt. Die beiden äußeren Elemente lassen sich auch prima als Einzelstücke verwenden. Jugendliche und Studenten, die sich gerade mit der Einrichtung ihrer Zimmer beschäftigen, werden von diesen Vorschlägen mit Sicherheit besonders begeistert sein, denn die Materialkosten halten sich – hier auch fürs kleine Portemonnaie – im Rahmen. Und noch ein Tip: Das Regalelement können Sie auch in beliebiger Höhe zum Beispiel in der Diele oder im Badezimmer in einer Ecke anbringen. Dazu müssen Sie die Seitenwände durchbohren und das Regal

Materialliste

Pos.	Anz.	Bezeichnung	Maße in mm	Material
		Schubladenregal:		
1	2	Seitendreiecke	500 × 500	Spanplatte 16 mm dick
2	1	Rückwand	550 × 468	
3	1	Bodenplatte	484 × 468	
4	1	Zwischenboden	290 × 468	
5	1	Zwischenboden	140 × 468	
6	1	Zwischenwand	290 × 168	
7	4	Front/Rücken	225 × 165	
8	4	Seitenteile	255 × 165	
9	2	Böden	267 × 205	Hartfaser 3,4 mm
4 Möbelrollen; Spanplatten-Schrauben; Umleimer; Holzleim.				
		Eckschrank:		
1	2	Seitendreiecke	500 × 500	Spanplatte 16 mm dick
2	1	Rückwand	634 × 484	
3	1	Rückwand	618 × 484	
4	1	Bodenplatte	618 × 618	
5	1	Kopfplatte	634 × 634	
6	1	Frontblende	332 × 87	
7	2	Mittelstege	468 × 120	
8	2	Klappen	510 × 430	
4 Möbelrollen; 4 Scharniere; Spanplatten-Schrauben; Umleimer; Holzleim.				
		Außenecke:		
1	1	Seitendreieck	500 × 500	Spanplatte 16 mm dick
2	1	Seitendreieck	500 × 484	
3	1	Bodenplatte	484 × 484	
4	1	Zwischenboden	290 × 290*)	
5	1	Zwischenboden	140 × 140	

3 Möbelrollen; Spanplatten-Schrauben; Umleimer; Holzleim.
*) aus Pos.3

dann durch die Spanplatte hindurch mit der Wand verdübeln.
Für unsere System-Möbel verwendeten wir wasserfest verleimte Spanplatte, 16 mm dick, die Sie in allen Bau- und Heimwerkermärkten und in Holzhandlungen erhalten. Wer die Farbe Weiß liebt, kann die System-Möbel auch aus weiß beschichteter Spanplatte herstellen. Tischlerplatten sind ebenfalls geeignet. Beide Materialien sind aber teurer als die Spanplatte. Mit der Kreissäge lassen sich bei Spanplatten die Schnitte so präzise ausführen, daß die Kanten nicht ausreißen.
Vor der Montage kaschiert man alle später sichtbaren Sägekanten mit Umleimern. Die Teile werden stumpf zusammengesetzt und unter Leimzugabe verschraubt. Dabei die Löcher vorbohren und die Schraubenköpfe versenken. Die Schraubenlöcher müssen Sie ebenso wie die Nahtstellen zwischen den einzelnen Teilen gut verspachteln und schleifen, damit es beim späteren Farbauftrag keine Schwierigkeiten gibt.
Beim Schubladenregal verbinden Sie zuerst die Bodenplatte mit der Rückwand und den Seitenteilen. Im Anschluß daran folgen die Zwischenböden und die Zwischenwand. Die Frontteile der Schubladen erhalten außerdem mit einer Lochsäge Grifflöcher (∅ 40 mm), damit sie sich gut öffnen lassen.
Bei unserem Eckschrank sollten Sie erst die Rückwände mit der Bodenplatte

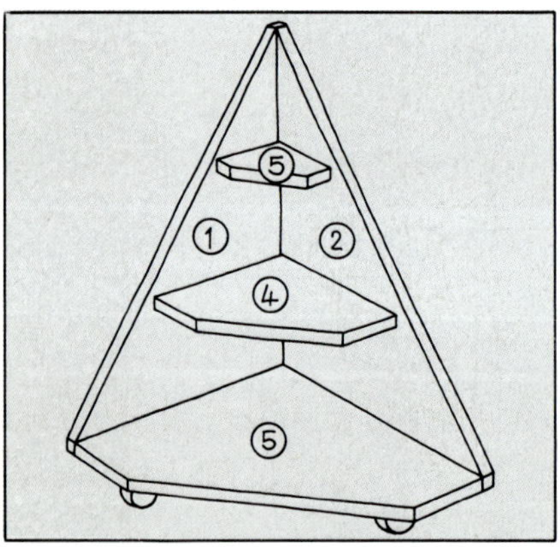

Die Außenecke. Auch hier stumpfe Verbindungen, die geleimt und geschraubt werden. Entsprechend seiner Form braucht man für dieses Element nur drei Möbelrollen.

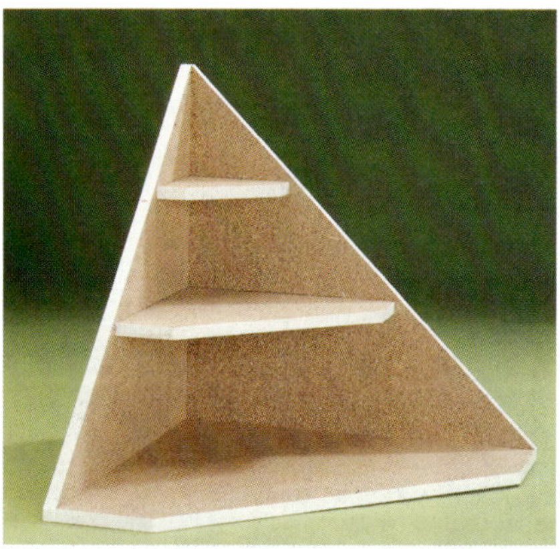

Auch dieses Element kann einzeln eingesetzt werden. Es läßt sich zudem leicht abwandeln und höher ziehen; dabei sollte man dann allerdings auf die Rollen verzichten und das Regal durch die Rückwand an der Zimmerwand festdübeln.

verbinden, dann die Kopfplatte einsetzen und Seitenwände an die Bodenplatte schrauben. Danach montieren Sie die Frontblende, deren seitliche Schrägen 45° betragen. Die obere Schräge dagegen mißt 33°. Dann die zusammengeleimten Mittelstege einsetzen. Bevor Sie die Türklappen befestigen, erhalten beide ebenfalls Grifflöcher.

Um bei der Spanplatte eine gute Oberfläche zu erzielen, sind mehrere Arbeiten erforderlich. Der erste Arbeitsgang beinhaltet ein Grundieren und sorgfältiges Spachteln, dem ein Zwischenschliff mit mittlerer Körnung folgt. Dann tragen Sie die Lackfarbe auf. Nach dem Trocknen erfolgt wieder ein Zwischenschliff mit feiner Körnung. Entstauben und ein zweites Mal lackieren. Zum Schluß bringen Sie bei allen System-Elementen die Möbelrollen an – fertig.

Unser Tisch-Set erhält seine ansprechende Form durch die 45°-Schräge der Oberplatte und die Gehrungen an den Unterkanten der Seiten. Auch hier sind die Platten miteinander verleimt und verschraubt. Alle sichtbaren Schnittkanten wurden mit Umleimern versehen. Dreikantleisten (20 × 20 mm) stabilisieren die Verbindungen von innen. Die kleinen runden Füßchen entstehen aus einem Buchenstab mit 20 mm Durchmesser.

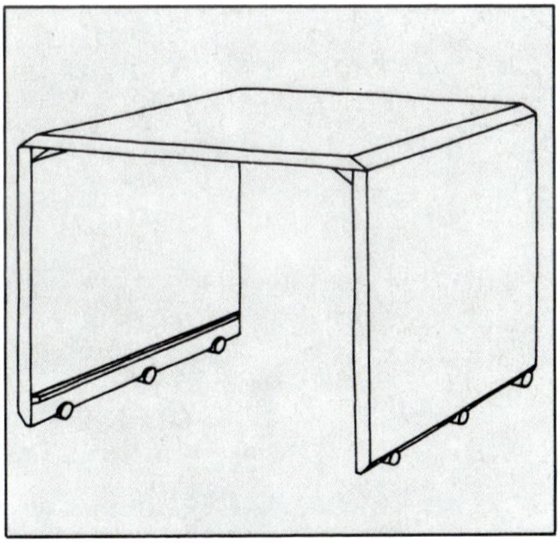

Material: wasserfest verleimte Spanplatte, 19 mm dick. Der große Tisch ist 400 mm breit, 400 mm tief, 360 mm hoch. Die Höhensprünge betragen je 30 mm, die Deckplatte wird jeweils um 60 mm schmaler. Bei veränderten Grundmaßen ist dies zu beachten.

Die drei Tischchen lassen sich leicht an den Führungsleisten (7×8 mm), die beim großen und mittleren Tisch innen an den Seitenwänden (siehe Zeichnung) angebracht sind, ineinanderschieben.

Mit dem 20-mm-Forstner-Bohrer an den noch nicht abgeschrägten Unterkanten der Seiten die Löcher bohren.

Dann die 45°-Gehrung der Seitenwände mit der Kreissäge herstellen. So reißen die Lochkanten nicht aus.

Im Anschluß daran die Gehrungsspitzen der Seitenwände mit der Kreissäge um 7 mm kürzen.

Für den richtigen Überblick

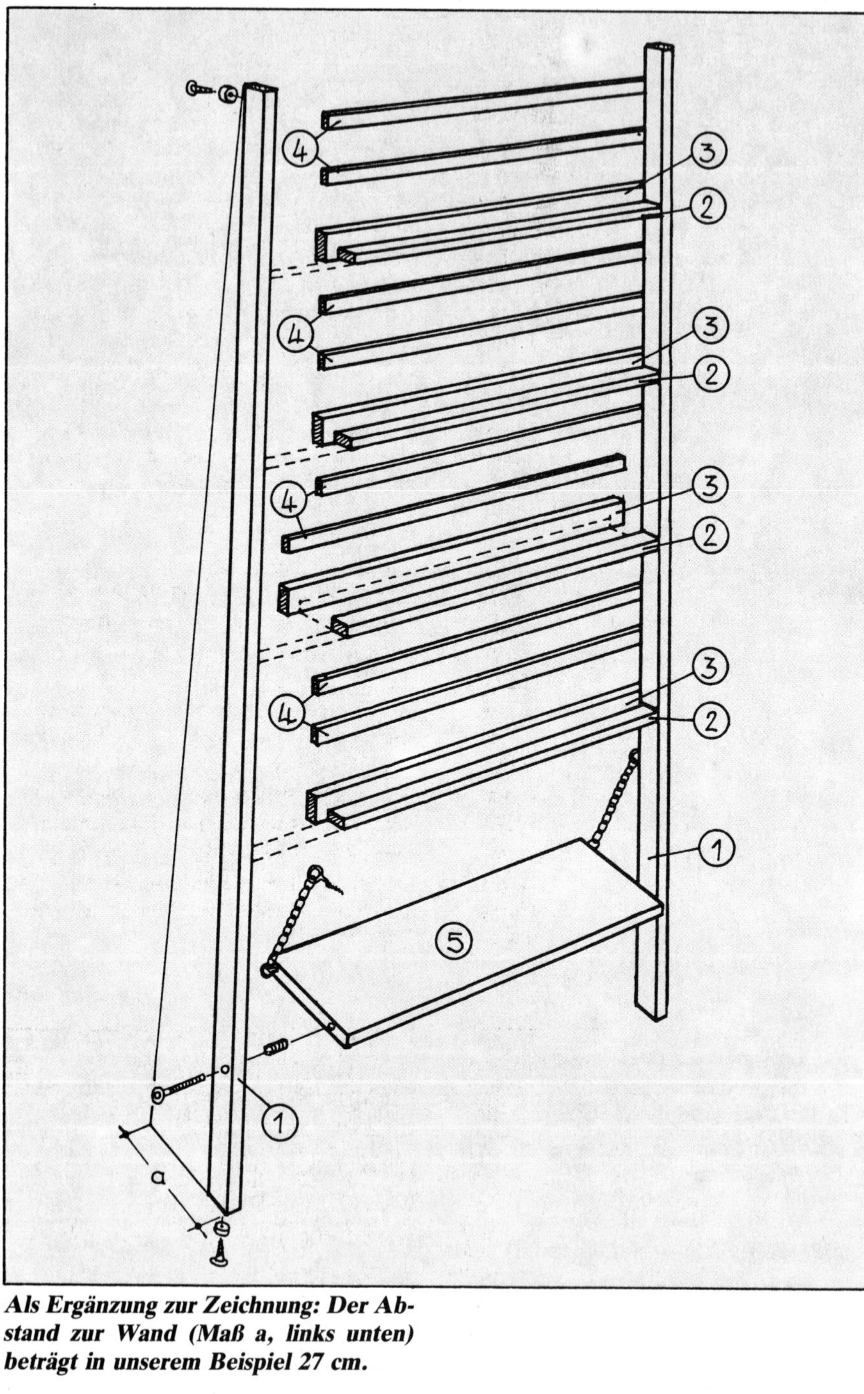

Als Ergänzung zur Zeichnung: Der Abstand zur Wand (Maß a, links unten) beträgt in unserem Beispiel 27 cm.

Ist es nicht traurig? Da geben sich Fotografen und Modelle tagelang die größte Mühe, ein ansprechendes, gelungenes Titelfoto zu schießen. Hundertmal wird neu arrangiert, anders ausgeleuchtet und literweise Kaffee getrunken, bis das Bild den Vorstellungen und Ansprüchen genügt. Was aber passiert, sobald das Heft in den Händen der Käufer ist? Einmal gelesen, liegt es vielleicht noch für einige Tage auf dem Couchtisch herum und wandert dann meist den Weg zum Altpapier oder bestenfalls in irgendeine dunkle Ecke, wo niemand mehr darauf achtet. Abgesehen davon, daß Sie es dort nur mit viel Glück wiederfinden, wenn Sie etwas nachschlagen möchten: Ist es nicht einfach schade, die schönen Fotos (oder Zeichnungen) spurlos in der Versenkung verschwinden zu lassen?

Machen Sie statt dessen aus den Heften Bilder einer Ausstellung. Das Gerüst ist schnell gebaut und kostet nicht mehr als ein edles Mode- oder Männermagazin. Ob Ihre Titelhelden auf der Leiter des Erfolgs auf- oder absteigen, bestimmen Sie. Alte oder weniger schöne Exemplare sind unten im Regal – sortiert und allzeit griffbereit – gut aufgehoben. Damit der Kiosk nicht ins Rutschen konnt, sind an den Stützen Gummipuffer verschraubt. Schlicht weiß lackiert, nimmt das Gestell den farbenfrohen Druckerzeugnissen am wenigsten von ihrer Wirkung.

Materialliste

Pos.	Anz.	Bezeichnung	Maße in mm	Material
1	2	Stützen	1800 lang	Kiefer 44 × 21 mm
2 3	4 4	Tragleisten Querleisten	700 lang 740 lang	Kiefer 44 × 15 mm
4	8	Querleisten	740 lang	Kiefer 21 × 8 mm
5	1	Platte	700 × 250	Sperrholz 15 mm

2 Gewindeschrauben M6 × 40 mit Rampa-Muffen M6; 2 Kettenstücke, ca. 30 cm lang; 4 Schraubösen; 4 Gummipuffer mit Schrauben; Schnellbauschrauben; Nägel; Holzleim.

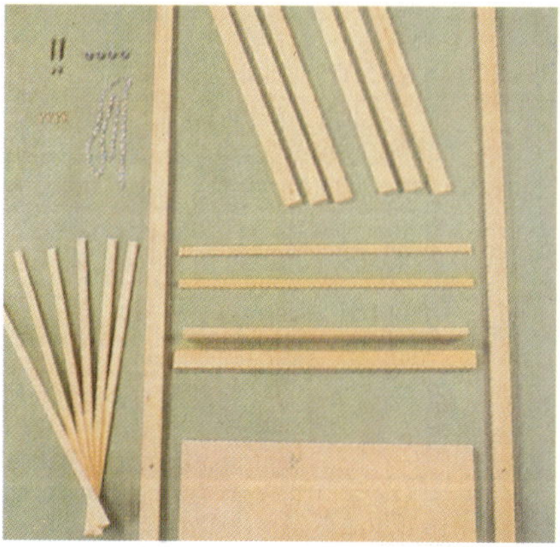

Sämtliche Teile auf einen Blick. Die Leisten sind aus Kiefern-, die Regalplatte aus Sperrholz. Auch unerfahrene Holz-Verarbeiter haben keine Probleme mit der Konstruktion.

Die Tragleisten werden rechtwinklig von hinten vernagelt und verleimt. Die Abstände zwischen den Leisten legt man nach Bedarf fest.

Vorne wird das Brett durch Schrauben mit Rampa-Muffen gehalten (9-mm-Bohrungen im Sperrholz). Für die Schrauben genügen 6-mm-Bohrungen durch die Stützen.

Die Rückseite des Regalbretts läßt sich an zwei etwa 30 cm langen Kettenstützen ausbalancieren, die von Schrauböse gehalten werden. Unten sehen Sie einen der Gummipuffer, die dem Gestell auf jedem Boden Halt geben.

Regal für Vielseitige

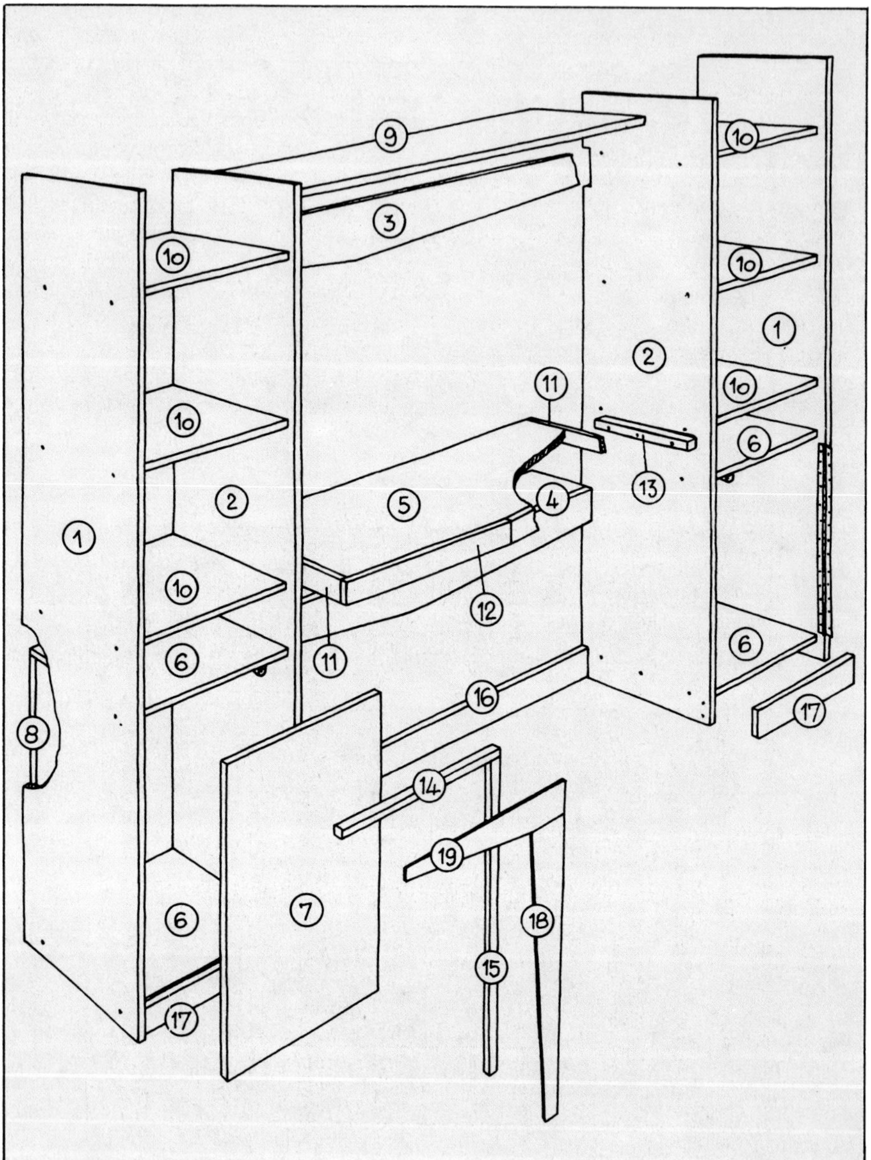

Kombiniere: Dieses Regal hat nichts zu verbergen: Wer wie weiland Nick Knatterton pfiffige Lösungen sucht, den wird dieses Möbelstück schon auf die richtige Spur bringen, denn die attraktive Regal-Schreibtisch-Kombination bietet viele Möglichkeiten für Kreative.

Beginnen Sie nach dem Zuschnitt der Teile mit der Montage der beiden baugleichen Regalsäulen. Wenn Sie zur Sicherheit die Leimverbindungen nicht nageln, sondern schrauben wollen, bieten sich spezielle Kreuzschlitzschrauben an: Sie lassen sich mit der elektronischen Bohrmaschine ohne Vorbohren eindrehen. Die Senkköpfe schließen bündig ab und fallen so nach dem Spachteln und dem Anstrich nicht mehr ins Auge.

Die Böden (10) werden lediglich in die Regaltürme eingelegt, da das obere Querbrett (3) schon stabilisierend wirkt. Wenn sich die fünfeckige Form der beiden Querbretter in der Tischplatte wiederholen soll, müssen Sie die Abdeckleiste (12) entsprechend zweiteilen, damit keine Spannungen beim Anleimen entstehen können.

Alle Teile werden am bequemsten bereits vor der Montage grundiert und lackiert. Die Schreibtischfläche können Sie auch mit versiegelten Korkplatten oder beispielsweise einem fröhlichen PVC-Bodenbelag gestalten. Verwenden Sie dazu am besten einen Wiederaufnahme-Kleber; dann können Sie die Platte immer wieder neu bekleben.

Materialliste

Pos.	Anz.	Bezeichnung	Maße in mm	Material
1	2	Außenseiten	1500 × 320	Spanplatte 16 mm dick
2	2	Innenseiten	1450 × 320	
3	1	oberes Querbrett	1468 × 140	
4	2	Boden + Querbrett	800 × 140	
5	1	Tischplatte	780 × 490	
6	4	Böden	318 × 304	
7	2	Türen	500 × 314	
8	2	Rückwände	468 × 318	Spanplatte 10 mm dick
9	1	oberer Mittelboden	800 × 300	
10	6	Einlegeböden	318 × 300	
11	2	Abschlußleisten	490 lang	Fichte 40 × 10 mm
12	1	Abschlußleiste	800 lang	Fichte 40 × 30 mm
13	2	Trägerleisten	317 lang	Fichte 20 × 20 mm
14	2	Griffleisten	317 lang	
15	2	Griffleisten	480 lang	
16	1	Sockelleiste	800 lang	Fichte 60 × 20 mm
17	2	Sockelleisten	318 lang	
18	1	Griffplatte	440 × 160*)	Sperrholz 5 mm dick
19	1	Griffplatte	317 × 160*)	

2 Klavierbänder, 500 mm lang; 2 Magnetschnäpper; 20 Bodenträger; Nägel oder Spanplatten-Schrauben; Holzleim.

*) Zeichnen Sie die Platte so an, daß mit einem Schrägschnitt die zwei erforderlichen Teile entstehen.

Alle Leimverbindungen sollten zusätzlich vernagelt oder verschraubt werden.

Das obere Querbrett wird vor dem Ansetzen noch zusätzlich eingelassen.

Die Griffplatten lassen sich durch Abstandsleisten bequem hintergreifen.

Den Anstrich der Schreibplatte sollten Sie noch gut mit Klarlack versiegeln.

Tischteile – hochgestapelt

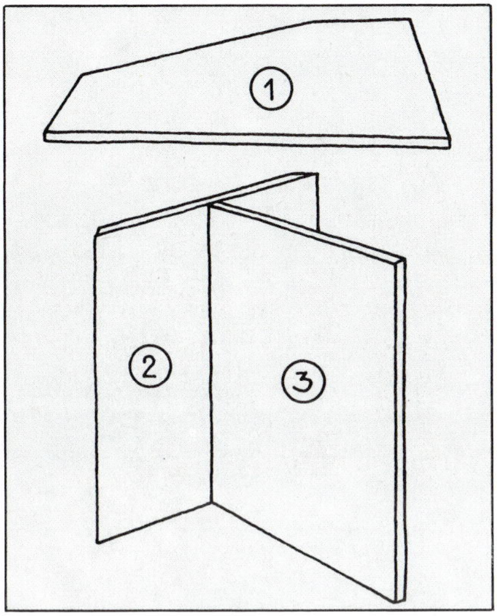

Wer die vier Elemente ausschließlich als Regal nutzen möchte (rechts), sollte sie sowohl untereinander als auch gut mit der Wand verbinden. Nur so wird aus einer noch etwas labilen Hochstapelei ein standfestes Möbel. Oben: So einfach wie die Zeichnung aussieht, ist auch der Bau der einzelnen Elemente. Die einzige Schwierigkeit bilden allenfalls die beiden Gehrungen an den senkrechten Stützen (2); hier helfen Hobel oder Stichsäge.

Einfacher geht's nun wirklich nicht! Mit diesen vier – hier bunt lackierten – Elementen läßt sich viel anfangen. Man kann sie einzeln als Ablagen, zusammengestellt als Tisch oder übereinandergestapelt als lustiges Regal nutzen.

Bevor es an die Montage geht, müssen die nach der Materialliste zugeschnittenen Tisch- und Stützplatten jedoch noch wie folgt bearbeitet werden: Bei allen vier Tischplatten (1) jeweils eine Ecke mit 25 cm Seitenlänge abtrennen. Die Seitenkanten der Stützplatten (2) schrägt man exakt mit dem um 45 Grad geneigten Sägeblatt der Stichsäge ab.

Die einzelnen Bauteile pro Element werden verleimt und verdübelt. Damit alles ganz genau paßt, überträgt man die Bohrlochmittelpunkte am besten

Die versenkte Ablagefläche in der Mitte ergänzt die zum Quadrat angeordneten Elemente sehr sinnvoll und sorgt gleichzeitig für Stabilität.

immer mit Dübelspitzen. Anschließend die noch sichtbaren Sägekanten gründlich spachteln und schleifen. Wer die Elemente so aufstellen möchte, daß ein quadratischer Tisch mit innerer Ablage entsteht, bringt noch je eine Bohrung pro Stützplatte ein, die 10 bis 20 cm, ganz nach Wunsch, unter der Oberkante auf der senkrechten Mittellinie liegt. Die dazu benötigte 33 x 33 cm große Ablageplatte mit entsprechend positionierten Holzdübeln versehen, die in Sacklöcher eingeleimt werden und etwa 10 bis 15 mm vorstehen. Die montierten Teile und das Mittelstück grundieren und lackieren.

Oder wie wär's mit einem achteckigen Tischchen? Auch dabei spielen unsere Elemente problemlos mit. Glauben Sie ja nicht, daß es Kindern vorbehalten wäre, mit Bauklötzen zu spielen . . . Phantasie ist gefragt.

Materialliste

Pos.	Anz.	Bezeichnung	Maße in mm	Material
1	4	Tischplatten	500 × 500	Spanplatten 16 mm
2	4	Stützplatten	420 × 350	
3	4	Mittelplatten	420 × 380	

1 Platte als Mittelstück (330 × 330 mm); Holzdübel; Holzleim.

Das Bahnabteil stand Modell

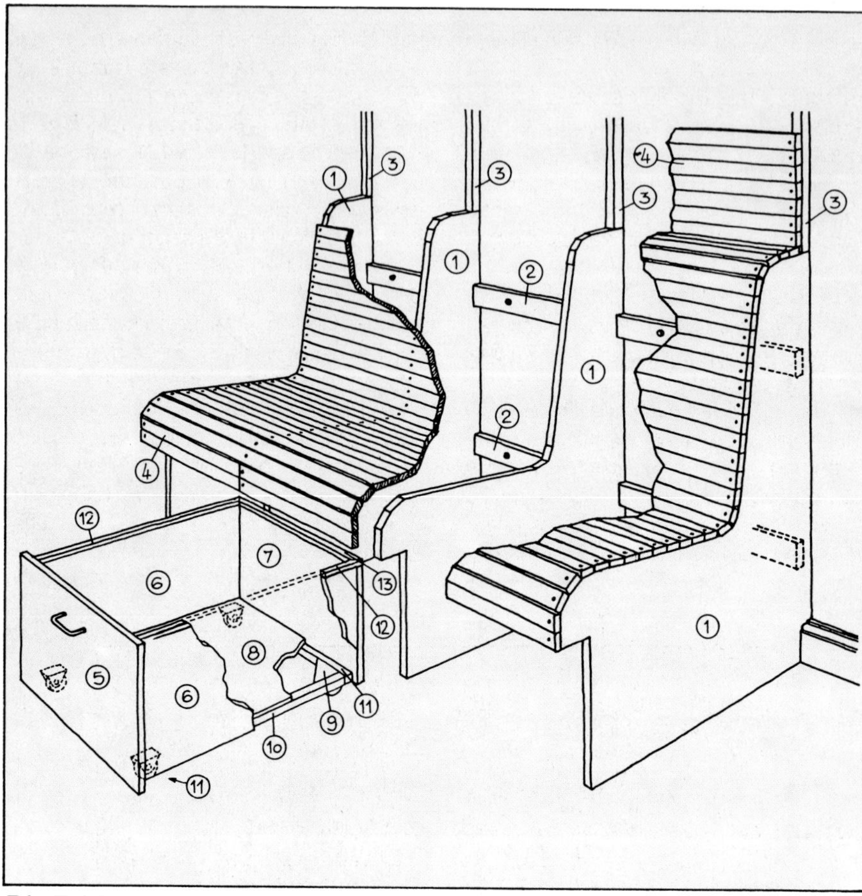

Die Zeichnung zeigt den genauen Aufbau von Lattenbank und Schubladen. Selbstverständlich können Sie die dort angegebenen Maße nach Ihren Wünschen und Gegebenheiten beliebig verändern. Allerdings sollten Sie beachten, daß der Wangenabstand bei den hier angegebenen Sitzleistenmaßen keinesfalls mehr als 50 cm betragen sollte.

Ein Zugabteil ist praktisch eingerichtet – bequem und mit einer Menge Stauraum trotz des sehr geringen Raumangebotes. Das hat uns inspiriert, als es darum ging, diese kleine Diele einzurichten. Wir haben sie einfach mit einer Lattenbank a la DSB – in Worten: Dänische Staatsbahnen – ausgestattet. Einer Bank, die übrigens auch in anderen Räumen der Wohnung ihren Zweck erfüllt. Am schönsten wirkt das Stück als Einbau in eine Nische, in unserem Beispiel zwischen Wand und Schrank. Die Bank können Sie länger oder kürzer bauen – je nachdem, wieviel Platz Ihnen zur Verfügung steht. Die tragenden Wangen bestehen aus Spanplatten und sämtliche Leisten aus gehobeltem Kiefernholz. Wir haben vier Wangen verwendet, so daß unter der Bank Platz für drei Schubladen ist, doch sind die Maße zwangsläufig vom verfügbaren Platz abhängig. Bei einer Verkleidung mit 12 x 33 mm-Leisten sollte der Abstand zwischen den einzelnen Wangen nicht größer als 50 cm sein. Unsere Bank hat eine Gesamttiefe von 65,2 cm, kann aber ohne weiteres auch einer geringeren Tiefe angepaßt werden; allerdings muß dann die Rükkenlehne gerade verlaufen. Die Leisten der Bank liegen – wie auf der Zeichnung sichtbar – auf Wangen aus Spanplatte auf und ergeben eine körpergerechte Form.

Zunächst bauen Sie den Korpus der Bank: Aus Spanplatte vier Wangen (1) laut Zeichnung zuschneiden – dabei an den hinteren Kanten Aussparungen für die Sockel- und Trägerleisten nicht vergessen – und anschließend von hinten mit zwei Trägerleisten (2) verschrauben. Den Korpus jetzt über die Trägerleisten (3) mit der Wand verdübeln. Dann werden die Sitzleisten (4) befestigt. Die Unterlage dafür muß gerade sein; deshalb flacht man die Wangen an den Rundungen jeweils in Leistenbreite ab. Die Leisten mit Linsenkopfschrauben aus Messing so anschrauben, daß sie eine Flucht bilden. Will man die Leistenverkleidung – wie in unserem Beispiel – nach oben hin fortsetzen, verschraubt man noch weitere Trägerleisten (3) über den Wangen mit der Wand.

Materialliste

Pos.	Anz.	Bezeichnung	Maße in mm	Material
1	4	Wangen	820 × 640	Spanplatte 22 mm
2	2	Trägerleisten	1478 lang	Fichte 44 × 22 mm
3	4	Trägerleisten	nach Höhe	Fichte 22 × 22 mm
4	*)	Sitzleisten	1522 lang	Kiefer 33 × 12 mm
5 6 7 8 9	3 6 3 3 12	Frontplatten Seitenwände Rückwände Bodenplatten Eckverstärker	495 × 260 464 × 232 475 × 232 464 × 443 100 × 100	Spanplatte 16 mm
10 11	6 6	Rahmenleisten Rahmenleisten	432 lang 443 lang	Kiefer 16 × 16 mm
12 13	6 3	Abschlußleisten Abschlußleisten	480 lang 475 lang	Kiefer 16 × 13 mm

12 starre Möbelrollen, 20 mm hoch; 3 Handgriffe; Schnellbauschrauben; Linsenkopfschrauben 3,5 × 30; Nägel; Holzleim.
*) Anzahl richtet sich nach Raumhöhe.

Die Schubladen sind ebenfalls aus Spanplatte gebaut. Sie werden verleimt und genagelt. Der Schubladenboden (8) liegt auf Rahmenleisten (10) auf, die Front (5) steht an jeder Seite 10 mm über und ragt so weit nach unten, daß sie die Möbelrollen verdeckt. An den Oberkanten der Seiten und der Rückwand die Abschlußleisten anleimen und -nageln. Dann alle Fronten grundieren, verspachteln, streichen und die Handgriffe anbringen. In unserem Fall wurden nur die Schubladenfronten gestrichen, der Rest blieb unbehandelt, so daß man die Spanplatte und die Abschlußleisten sehen kann. Natürlich können Sie diese ebenfalls streichen.

Übrigens: Bei unserer Dieleneinrichtung haben wir mit dem Leistenmotiv weitergespielt: Die eine Wand ist mit Leisten verkleidet, an denen S-förmige Kleiderhaken befestigt sind. Über den beiden Seiten haben wir schräge Regale angebracht. Genau wie das Gepäcknetz in einem Zugabteil bieten sie eine Menge zusätzlichen Stauraum.

Die Sitzleisten mit Linsenkopfschrauben so befestigen, daß sie eine Flucht bilden.

Bei unserem Beispiel wurde nur die Front gestrichen, die übrigen Teile blieben unbehandelt.

Dekorative Blumenbank

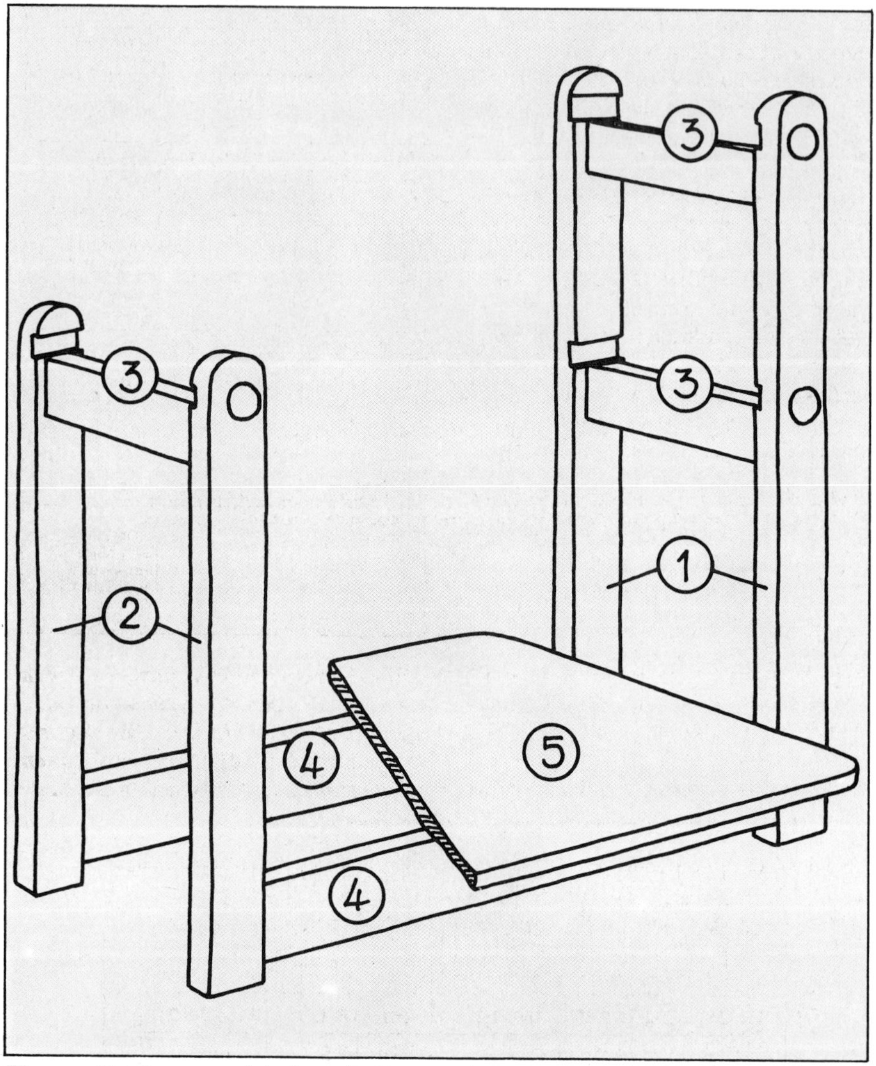

Unsere Zeichnung zeigt den Aufbau der Blumenbank. Die seitlichen Ablagen sind hier nicht dargestellt, damit die Aussparungen in den Stützen für Sie sichtbar bleiben.

Schöne Topfpflanzen stehen oft akkurat in einer Reihe auf Fensterbänken – versteckt hinter Gardinen. Man selbst kann sich also gar nicht richtig am Anblick seiner Gewächse erfreuen.

Deshalb haben wir für Sie eine tolle Blumenbank entworfen, mit der Sie Grünes und Blühendes im wahrsten Sinne des Wortes ins rechte Licht rükken können. Die Form ist schlicht, aber nicht eintönig, so daß die Bank überall ihren Platz findet, ohne aus dem Rahmen zu fallen. Daneben ist das Möbel einfach zu bauen – „leichte Kost" für gewiefte Holzwürmer also und ein ideales Objekt für Do-it-yourself-Einsteiger.

Nun aber zum Bau in Kurzform: Die Stützen oben abrunden und die Aussparungen für die seitlichen Ablagen arbeiten. Dann alle nötigen Sackbohrungen einbringen und Stützen, Längs- und Querstreben verbinden. Die Ablagen erst mit Aufleimer versehen, verschleifen und danach mit Lackleim auf den Streben und in den Aussparungen fixieren. Die Holzteile lackieren – fertig.

Pflanzen-Kombinationen		
1. Variante Freiland Kräuter	2. Variante Freiland Blühendes Arrangement in Weiß mit rotem Tuff	3. Variante Zimmer Arrangement für vier Jahreszeiten
Pflanzen für die 500 × 500 mm große Grundplatte		
Schnittlauch Zitronenmelisse Salbei Borretsch Ysop Lavendel	weiße Petunien weißer Ziertabak duftende Reseda	verschiedene Farne, beispielsweise Nestfarn Schwertfarn Frauenhaarfarn Streifenfarn Geweihfarn Saufarn
Pflanzen für die 250×250 mm großen Seitenplatten		
Weinraute (unten) Maggikraut (oben)	weiße Glockenrebe (unten, schlingt hoch) weiße Verbenen (oben)	Efeu (unten) Usambara- veilchen (oben)
Pflanzen für die runde Seitenplatte (∅ 250 mm)		
blühende Kapuziner- kresse	rote Pelargonien	je nach Jahreszeit eine blühende Topfpflanze, zum Beispiel Azalee Gloxinie

Die Pflanzenkombinationen, die wir Ihnen hier für die Blumenbank empfehlen, gleichen sich in ihren Wachstumsbedürfnissen. Sie sollten darauf achten, wenn Sie andere Pflanzen dazunehmen möchten.

Materialliste

Pos.	Anz.	Bezeichnung	Maße in mm	Material
1 2 3	2 2 3	Stützen Stützen Querstreben	630 lang 505 lang 240 lang	Kiefer 60 × 30 mm
4	2	Längsstreben	502 lang	Kiefer 80 × 20 mm
5	1	Ablage	500 × 500	besch. Spanplatte 19 mm

Aus 19-mm-Spanplatte (beschichtet): 2 Böden 250 × 250, 1 Boden 250 mm ∅; Aufleimer zum Aufbügeln, weiß, 20 mm breit; 6 Holzkugeln, 25 mm ∅; 26 Holzdübel, ∅ 8 × 40 mm; Holzleim; Lackleim.

Alle Stützen der Blumenbank schneidet man an ihren oberen Enden halbrund und schleift sie dann gründlich nach.

Sind alle Sacklöcher und die Aussparungen für die Ablagen hergestellt, verbindet man zuerst je eine Längsstrebe . . .

. . .mit einer langen und einer kurzen Stütze, wobei Holzdübel und Holzleim für Halt sorgen. Dann noch einmal gut schleifen.

Auch die Querstreben werden verleimt und verdübelt. Die Ablagen versieht man mit Aufleimern. Dann wird montiert und der Lack aufgetragen.

Blumen im Achteck

Die 24 Fichte/Tanne-Leisten werden kreisförmig und ohne Boden angeordnet. Unser Kasten hat einen Durchmesser von 38 cm.

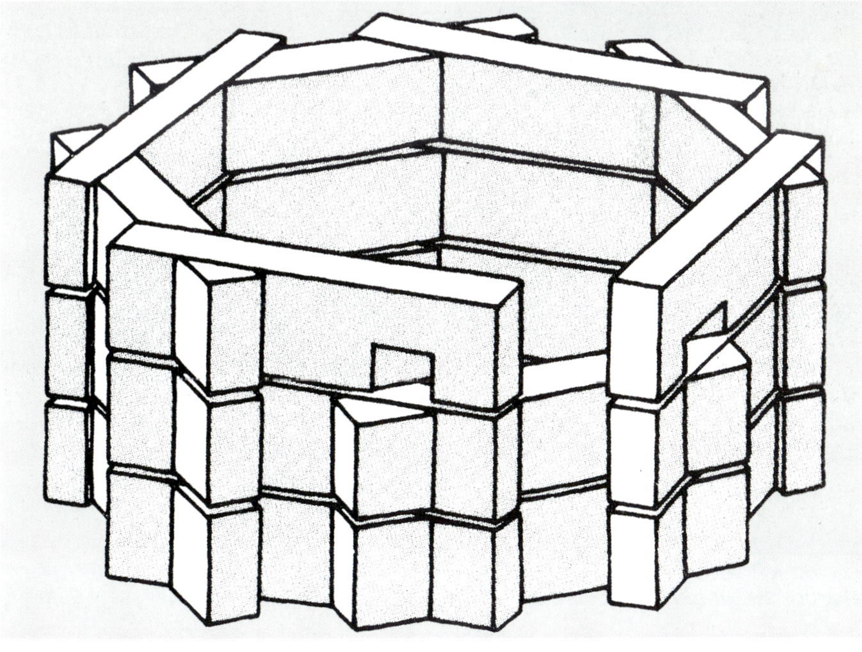

Der Zweck heiligt die Mittel: Wir haben nicht etwa vergessen, dem dekorativen Gebilde einen Boden zu „verpassen"; vielmehr wollten wir die Konstruktion so einfach gestalten, daß selbst ein Einsteiger mühelos damit fertig wird. Und simpler geht's wirklich nicht. Wie bei einem Baukasten werden die einzelnen Teile einfach ineinandergesteckt. In diesem Fall sind das genau 24 Fichte/Tanne-Leisten mit einem Querschnitt von 60 x 30 mm und 26,5 cm Länge. Am besten fertigen Sie erst eine Schablone und zeichnen darauf die 45-Grad-Aussparungen an. Diese aufs Holz übertragen, mit der Stichsäge einschneiden und mit dem Beitel bis exakt zur Mitte der Holzleisten-Dicke ausstemmen. Präzises Arbeiten ist fürs Gelingen Voraussetzung! Sind alle Leisten vorbereitet, verbindet man die einzelnen Lagen mit wasserfestem Holzleim und -dübeln. Diese dienen zum Stabilisieren und als Abstandshalter.

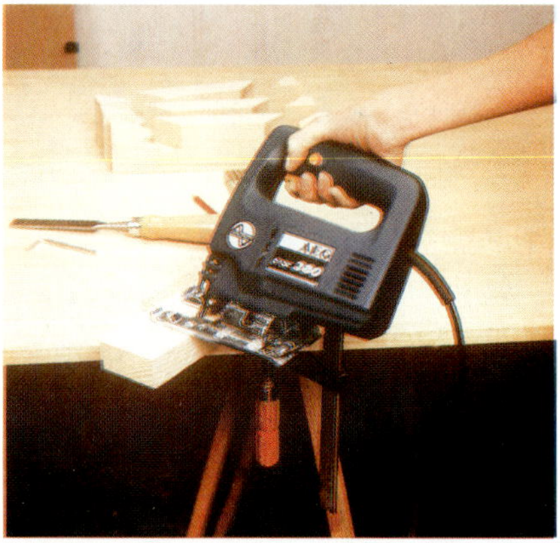

Mit der 45-Grad-Einstellung der Stichsäge schneidet man zunächst die Seiten ein.

Sämtliche Holzteile werden mit wasserfestem Holzleim verbunden.

Die einzelnen Ringe mit Holzdübeln fixieren. Die 10-mm-Löcher vorbohren.

Den Blumenkasten zuerst mit Holzgrund und dann mit weißem Acryllack streichen.

Kostbarkeiten hinter Glas

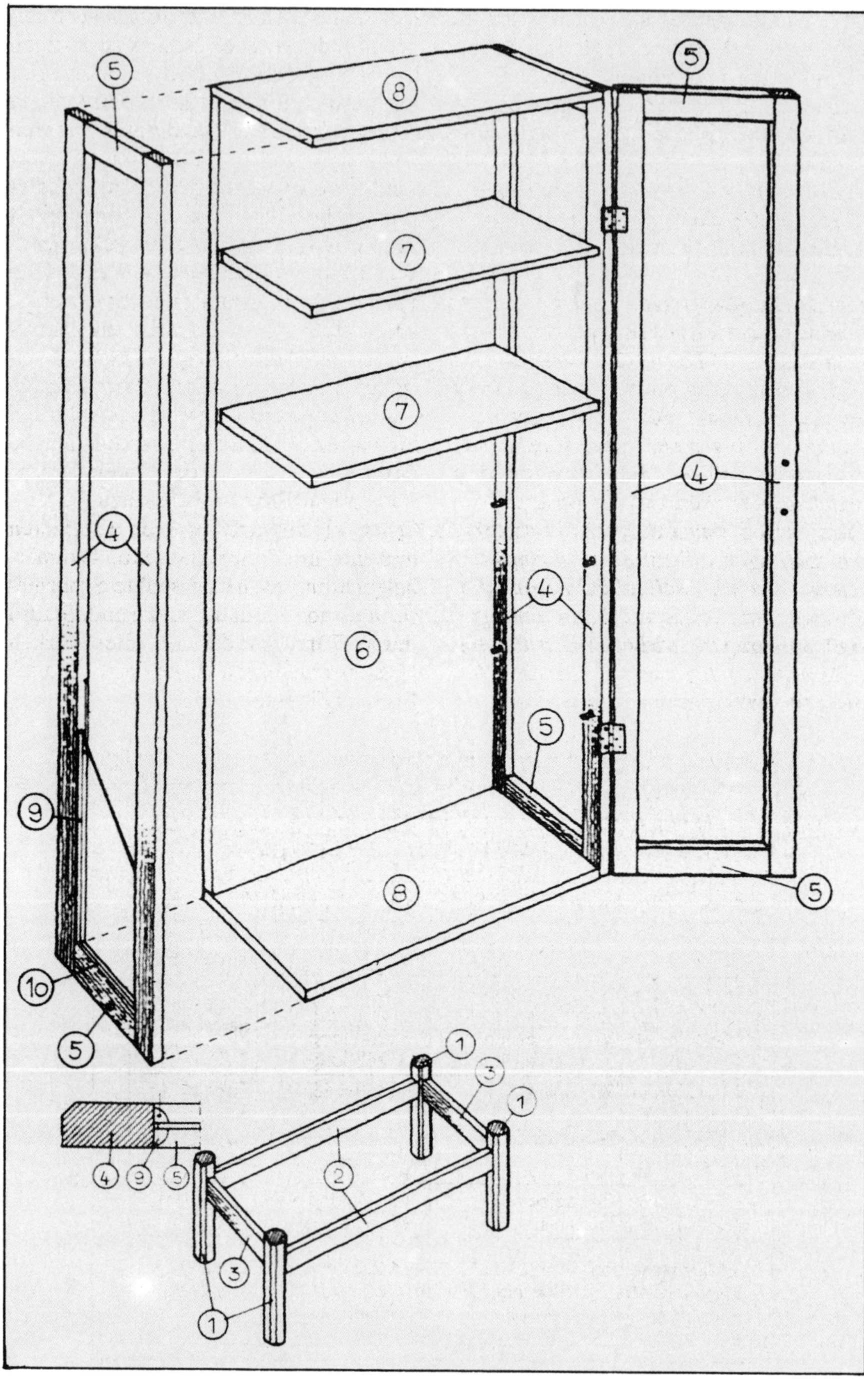
5
8
5
7
7
4
4
4
6
5
9
8
5
10
5
1
3
1
2
2
3
1
1
4
9
5

Seltene und entsprechend teure Sammelstücke verschwinden oft in schummrigen Kommoden, um vor Kinderhänden, Katzenpfoten und Staub sicher zu sein. Mit unserem Eigenbau wollen wir Ihren Pretiosen den Weg ins Glashaus weisen, denn dort gehören Ihre Schmuckstücke schließlich auch hin. Beim Zusammenbau der Vitrine werden Sie feststellen, wie einfach auch feines skandinavisches Design zu fertigen ist, ohne gleich sündhaft teuer zu sein. Das gewisse Etwas liegt bei den Möbeln dieser Stilrichtung oft in unscheinbaren Details: Abgeschrägte Kanten oder der weiß-graue Anstrich bewirken, daß dieser „große Klare" bereits ohne Inhalt zum exklusiven Möbelstück wird. Wenn durch die dreiseitige Verglasung noch nicht genügend Licht einfällt, könnten Sie mit kleinen Leuchtstoffröhren nachhelfen, wie sie beispielsweise in Einbauküchen unter Hängeschränken montiert werden. Plazieren Sie dabei die flachen Fassungen nahe der Rückwand unter die Einlegeböden. So können Sie auf eine zusätzliche Verblendung der Lichtquellen verzichten und gewinnen eine indirekte Zimmerbeleuchtung dazu. Versenkte Scharniere verhindern, daß Licht (und Staub) durch Türritzen dringen. Bei starken Magnetschnäppern können Sie auch Dichtprofile einkleben.

Links: Denkbar einfach setzt sich die Vitrine aus vielen baugleichen Teilen zusammen. Tischlerplatten für Einlegeböden und Rückwand bieten ausreichende Stabilität und sind gegenüber Spanplatten besser zu bearbeiten sowie anzustreichen. Die Schnittkanten der Stellflächen lassen sich farblich angleichen, indem man zuerst weißen Umleimer aufbügelt. Wenn Sie die Flügeltüren an den drei Seitenflächen mit der gleichen 6-mm-Fase wie beim Untergestell anschrägen, wirken die Rahmenteile noch leichter und es gibt keine typischen Stoßkanten.

Materialliste

Pos.	Anz.	Bezeichnung	Maße in mm	Material
1	4	Beine	200 lang	Kiefer 34 × 34 mm
2 3 4 5	2 2 8 8	Längsverbinder Querverbinder Rahmenleisten Rahmenleisten	625 lang 272 lang 1500 lang 262 lang	Kiefer gehobelt 21 × 44 mm
6	1	Rückwand	1469 × 662	Tischlerpl. 13 mm
7 8	4 2	Einlegeböden Boden/Deckel	660 × 330 662 × 349	Tischlerpl. 16 mm
9 10	16 16	Glasleisten Glasleisten	1412 lang 262 lang	Viertelstab 7 × 7 mm

4 Glasscheiben 3 mm dick, 1409 × 259 mm; 16 Bodenträger; 4 Scharniere 50 × 40 mm; 2 Türgriffe (nach Wahl); 4 Magnetschnäpper; 48 Dübel ∅ 8 × 40 mm; Nägel; Holzleim.

Die Eckverbindungen der schmalen Holzrahmen verstärkt man am besten durch das Einsetzen von Dübeln. Die Leisten für die Scheiben sollten beim Leimen möglichst stramm fixiert werden.

Die markanten 6-mm-Fasen hobeln Sie der Einfachheit halber noch vor dem Ablängen der Beine. Auch beim Zusammenleimen des Untergestells sorgen Dübel für die erforderliche Festigkeit.

An die Rückwand nagelt man zuerst Deckel und Boden, bevor die Seitenteile angeleimt und mit den Türen verschraubt werden.

Die eingesetzten Scheiben werden von genagelten Viertelstäben gehalten. Vorsicht: Beim Nageln empfiehlt es sich, ein Stück Pappe zwischen Scheibe und Hammer halten! •

Stauraum auf Rädern

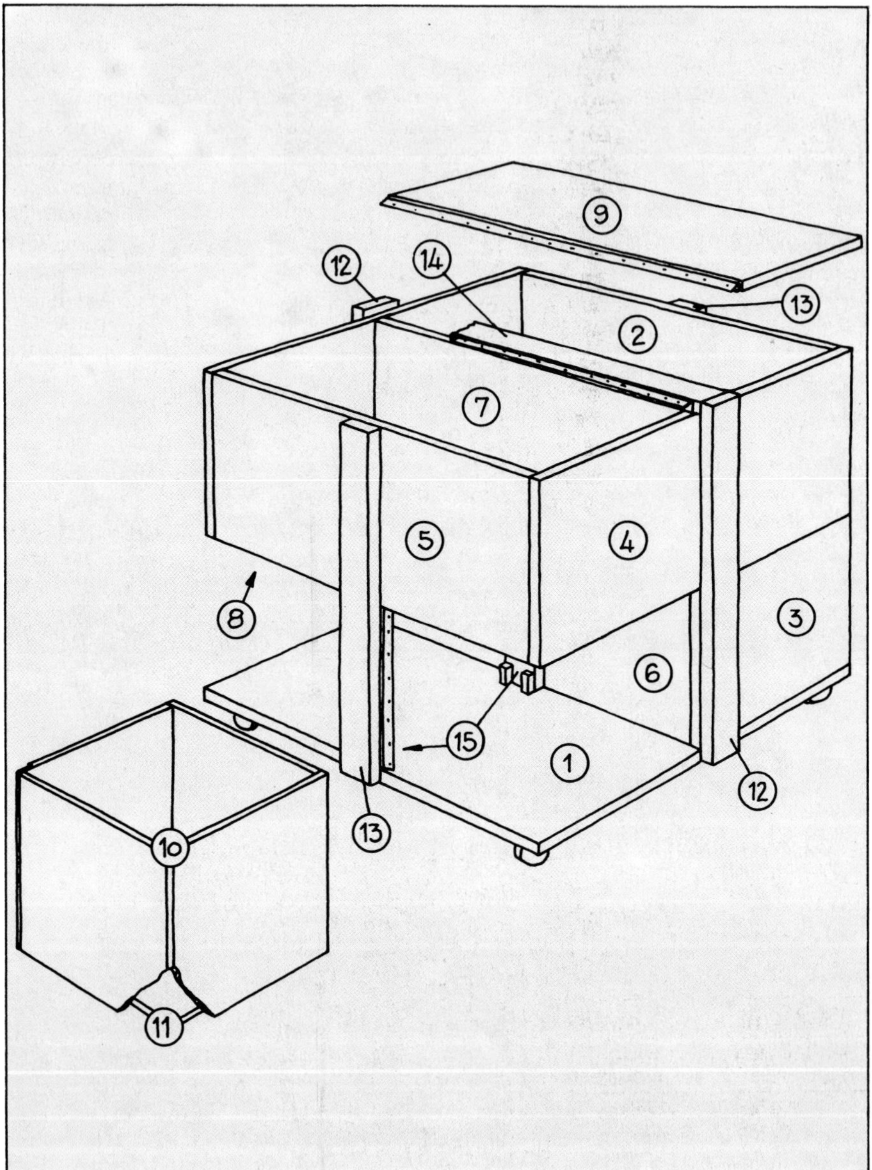

Die Zeichnung zeigt ganz genau, wie die einzelnen Teile, deren Maße Sie in der Materialliste wiederfinden, zusammengebaut werden. Unter Position 13 liegt – hier unsichtbar – die gefalzte Aufleimerleiste (15), an der das Klavierband der ausschwenkbaren Kästen befestigt wird.

Beim Bau des Rollcontainers kommen Sie mit Bohrmaschine, Hammer, Schraubendreher, Winkeleisen und Schleifpapier aus.

Dieser praktische Rollcontainer mit ausschwenkbaren Kästen schafft überall Ordnung. Alle Holzteile werden bei der Montage miteinander verleimt und verschraubt. Beginnen Sie mit dem Grundgestell: Seitenwand (2) und Seitenteile (3) auf der Bodenplatte montieren. Anschließend die Zwischenwand (6) mit dem Boden und den Seitenteilen verbinden. Es folgen die Seitenteile (4), die jeweils mit (3) verleimt und mit (2) verschraubt werden. Diese „überstehenden" Seiten nun mit Boden (8), Stirnplatte (5) und Zwischenwand (7) komplettieren.

Mit der Kreissäge zwei 3 mm tiefe Falze für das Klavierband in die vordere Aufleimerleiste (15) schneiden. An der gegenüberliegenden Position (15) zwei Magnetschnäpper montieren. Die Leisten (12 bis 14) jeweils mittig befestigen (siehe Skizze) und die Klappen mit Klavierband an der Querleiste festschrauben. Die Kästen zusammenbauen, Ekken abrunden und Klavierbänder montieren, die in den Falzen der Anleimerleiste versenkt werden. Alle Teile lakkieren und die Möbelrollen anbringen. Angeleimte Stoffstreifen oder Ketten halten die geöffneten Klappen.

Materialliste

Pos.	Anz.	Bezeichnung	Maße in mm	Material
1	1	Bodenplatte	550 × 550	Spanplatte 13 mm dick
2	1	Seitenwand	524 × 520	
3	2	Seitenteile	300 × 260	
4	2	Seitenteile	550 × 260	
5	1	Seitenteil	524 × 260	
6	1	Zwischenwand	524 × 260	
7	1	Zwischenwand	524 × 247	
8	1	Zwischenboden	524 × 250	
9	2	Klappdeckel	580 × 262	
10	8	Kastenseiten	240 × 255	Sperrholz 10 mm dick
11	2	Böden	230 × 230	
12	2	Leisten senkrecht	548 lang	Fichte 50 × 20 mm
13	2	Leisten senkrecht	536 lang	
14	1	Leiste quer	550 lang	
15	2	Aufleimerleisten	260 lang	

Ca. 1,70 laufende Meter Klavierband; 2 Magnetschnäpper; 4 Möbelrollen; 2 Ketten oder Stoffstreifen, ca. 30 cm lang; Spanplattenschrauben; Nägel; Holzleim.

Zuerst das Grundgestell des Würfels zusammenleimen und -schrauben.

Angeschraubte Seitenleisten geben dem Rollwürfel größere Stabilität.

Alle Flächen, die später lackiert werden, sorgfältig glattschleifen.

Die Schwenkkästen verleimen und mit gestauchten Nägeln verbinden.

Nähen auf kleinstem Raum

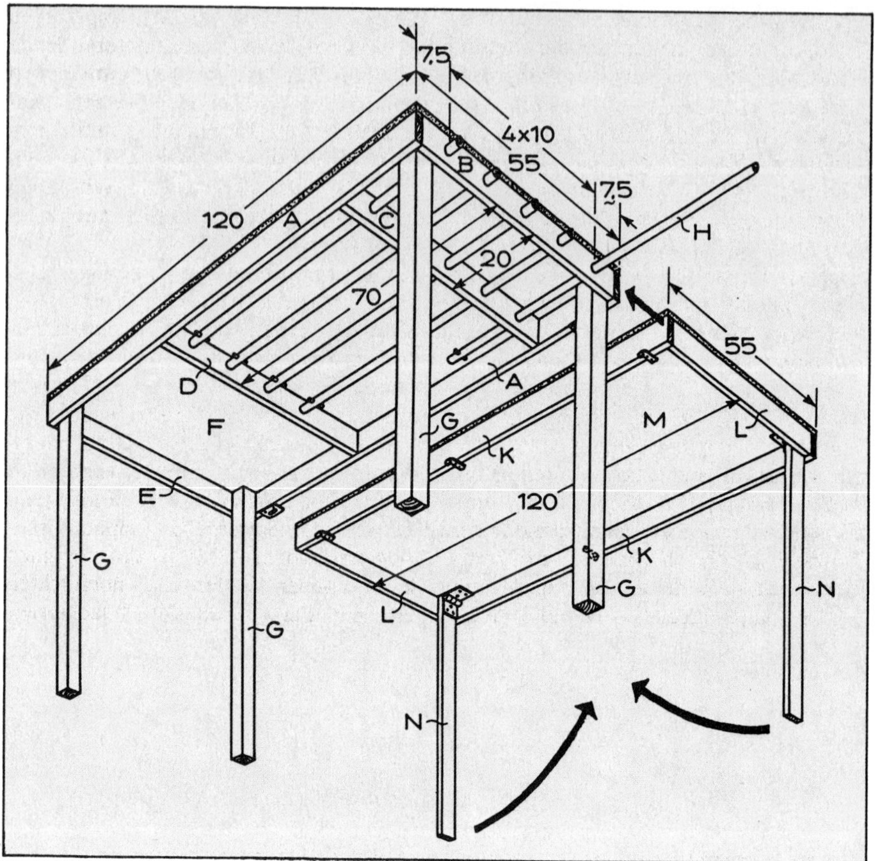

Ein Tisch zum Anhängen: An die Platte von 55 cm Breite und 1,2 m Länge mit den ausziehbaren Stangen läßt sich problemlos eine gleichgroße Platte anhängen.

Alle, die ihre Mode nicht nur von der Stange kaufen, sondern selbst Hand anlegen, um sich aus hübschen Stoffen z.B. etwas Luftiges für den Sommer zu nähen, finden an diesem variablen Nähtisch sicher Gefallen. Mit dem leicht zu bauenden Zweiteiler aus Holz kann man sich ein praktisches Möbel schaffen, das eine 1,1 x 1,2 m große Fläche zum Zuschneiden und Nähen bietet, bei Nichtgebrauch aber fast nur halb soviel Platz beansprucht.

Die Herstellung ist recht unkompliziert. Zunächst zwei Zargen aufeinanderspannen und ab 80 mm Abstand zu den Enden fünfmal in gleichen Abständen mit einem Forstnerbohrer bohren (∅ 18 mm). Danach die Zargen mit einem 20 cm breiten Zwischenraum unter die Platte für den Tisch setzen. Hinzu kommen noch eine dritte als Begrenzung der Auszugsstangen (6) und die vierte Quer- sowie die beiden Längszargen (4). Die Rundhölzer am hinteren Ende mit ∅ 6 mm durchbohren, einschieben und Dübel als Riegel einsetzen. Anschließend die Tischbeine (2) mit Leim und Schrauben in den Ecken fixieren. Für eine glatte Oberfläche Schrauben immer versenken und Schraublöcher ausspachteln.

Die zweite Tischplatte mit den vier Zargen versehen. Eine feste Verbindung zwischen Tisch und Zusatzplatte entsteht durch drei Klapptischbeschläge. Damit die beiden Klappbeine (3) platzsparend „verschwinden", wenn die Platte heruntergelassen oder abgenommen wird, schraubt man die Latten mit ca. 35 mm breiten Scharnieren an und sichert sie in der Mitte mit einem Drehriegel. Bevor das Schneidern beginnen kann, müssen Sie den Tisch noch schleifen, grundieren und zweifach lackieren.

Materialliste

Pos.	Anz.	Bezeichnung	Maße in mm	Material
1	2	Tischplatten	1200 × 550	Sperrholz 15 mm dick
2	4	Tischbeine	700 lang	Kiefer 45 × 45 mm
3 4 5	2 4 6	Klappbeine Längszargen Querzargen	700 lang 1200 lang 518 lang	Kiefer 45 × 15 mm
6	5	Auszugsstangen	730 lang	Buche ∅ 15 mm

2 Scharniere; 3 Klapptischbeschläge; 1 Drehriegel; Nägel; 5 Holzdübel ∅ 6 × 30 mm; Holzleim.

Unter der Platte des Nähtischs sind Stangen für die Stoffablage verborgen. Sie brauchen nur herausgezogen zu werden.

Eine platzsparende Zusatzplatte läßt sich anhängen. Sie vergrößert die Arbeitsfläche auf 1,1 × 1,2 m.

Über drei Klapptischbeschläge hängt man die Zusatzplatte einfach ein.

Im Handumdrehen sind die Klappbeine aufgestellt. Dann ist die Fläche auch für einen Stoffzuschnitt groß genug.

Lautsprecherboxen
mit Lärmschutz

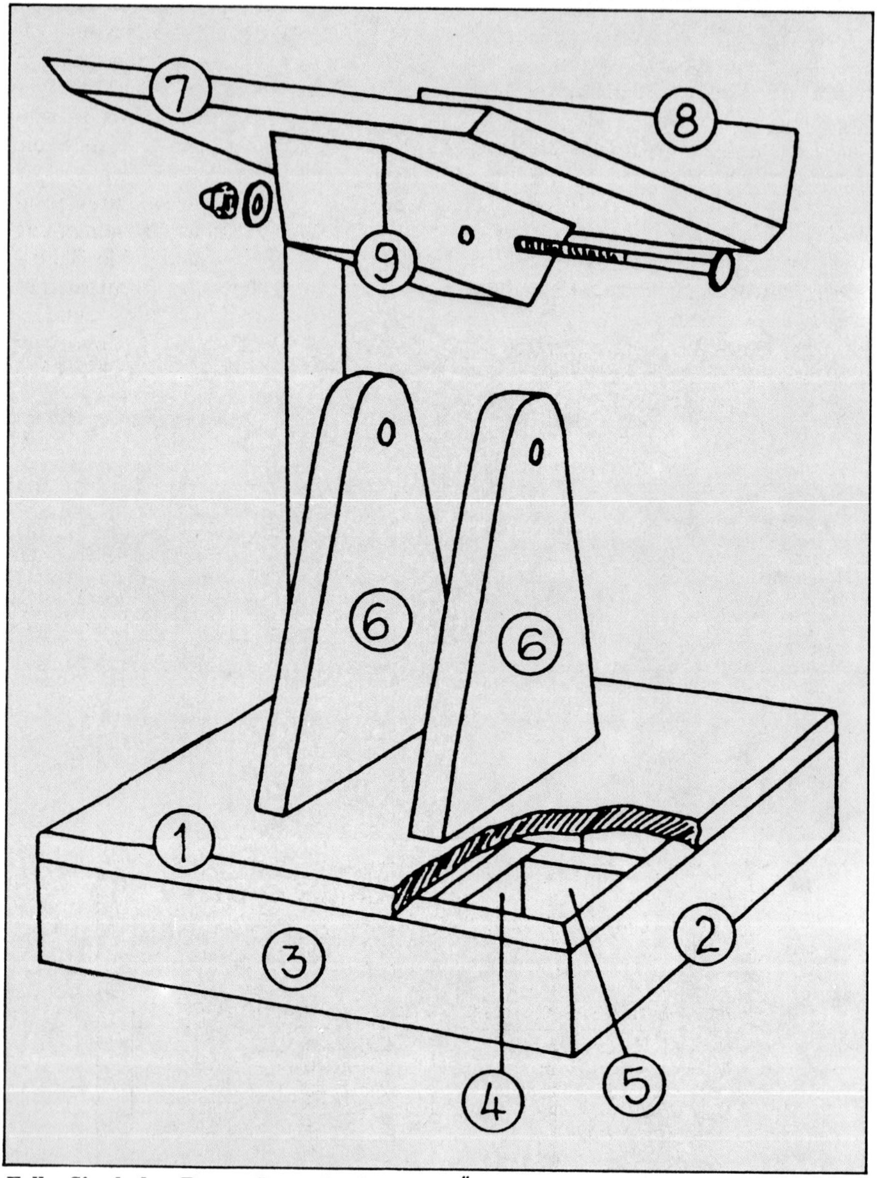

Falls Sie hohe Boxentürme besitzen, müssen Sie die Sockelbretter (2) entsprechend verlängern und die Grundplatten vergrößern. Andernfalls riskieren Sie, daß der Stand Ihrer Boxen zu labil wird, denn der Schwerpunkt verlagert sich beim Schwenken sehr stark.

Übrigens, die Bälle sind zwar kaum zu sehen, aber es gibt sie in unterschiedlichen Farben. Wir haben das Gelb wegen des besseren Kontrastes gewählt. Bei weißen Boxen empfiehlt es sich natürlich, ebenfalls weiße Bälle zu verwenden.

Sie mag Musik nur, wenn sie laut ist, wenn der Boden untern Füßen bebt", singt Herbert Grönemeyer über eine Frau, die zwar taub ist, sich aber von der Musik der voll aufgedrehten Stereoanlage mitreißen läßt, weil sie dann die Vibrationen spürt.

Doch in einem Mehrfamilienhaus wird diese Art von Musikbegeisterung manch anderen eher dazu veranlassen, aus der Haut zu fahren. Es gibt oft ja bereits dann Ärger, wenn man viel leisere Töne anschlägt. Stehen die Boxen nämlich direkt auf dem Teppich, übertragen sich vor allem die Bässe ungebremst auf den Boden und geistern dann durchs ganze Haus. Deshalb der Trick mit den Tennisbällen als Schwingungsdämpfer. Jedoch stellt man die Box nicht einfach auf die Bälle. Wir zeigen Ihnen einen schwenkbaren Ständer, dessen Fuß eine Facheinteilung hat. Dorthinein steckt man die Bälle – so ist der Filz später kaum sichtbar. Für hohe Boxentürme die Füße entsprechend ausladend bauen, denn der Schwerpunkt verlagert sich beim Schwenken stark.

Materialliste

Pos.	Anz.	Bezeichnung	Maße in mm	Material
1	1	Grundplatte	280 × 245	Tischlerpl. 13 mm dick
2	2	Sockelbretter	280 × 40	
3	2	Sockelbretter	245 × 40	
4	4	Ballhalter	75 × 40	
5	4	Ballhalter	62 × 40	
6	2	Lagerböcke	180 × 160	
7	1	Trägerplatte	225 × 225	
8	1	Rutschleiste	225 × 65	
9	1	Lagerbock	160 lang	Fichte 60 × 60 mm

1 Schloßschraube M8 × 90 mit Hutmutter und U-Scheibe; 4 Tennisbälle; Holzleim.

Für Boxen bis zu einer Höhe von ca. 60 cm braucht die Stellfläche des Fußes nicht größer als die der Box zu sein.

Boris' Spielzeug einfach zweckentfremdet: Im Ständerfuß stramm eingepaßt, dämpfen die Tennisbälle die Schwingungen.

Wie auf einem Notenständer steht die Box leicht geneigt auf der aus Leimholz konstruierten Plattform.

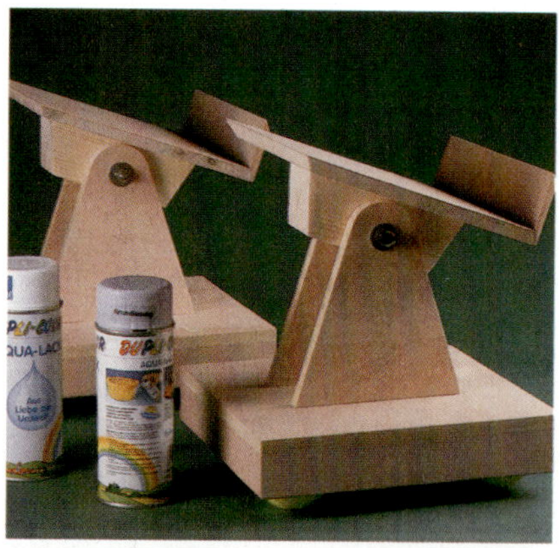

Als Alternative zum herkömmlichen Pinselanstrich eignen sich umweltfreundliche Sprays auf Wasserbasis.

Pfeifenschränkchen

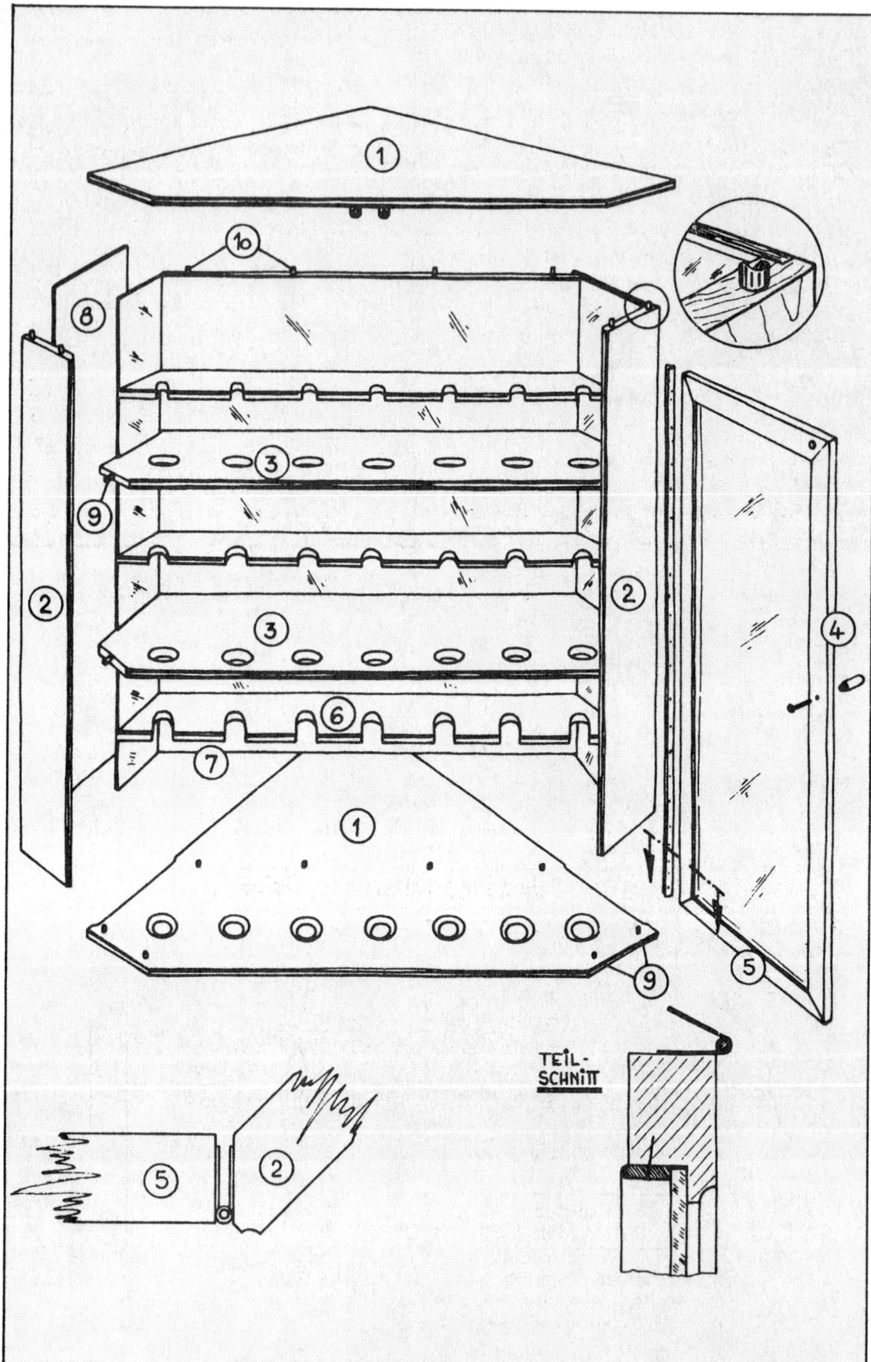
1
10
8
3
9
2
3
6
7
4
5
TEIL-
SCHNITT

Links: Die wichtigsten Details aus der Zeichnung sind vergrößert abgebildet: Oben rechts die Falzverbindung von Seitenteil und Rückwand. Unten rechts erkennen Sie, wie die Rahmenleisten gefalzt und mit einer Hohlkehle verziert wurden und wie die Fensterleiste das Glas hält. Links unten die Aufsicht auf die Verbindung des Seitenteils mit dem Rahmen. Der 45-Grad-Winkel wird mit dem Hobel oder der geneigten Tischkreissäge hergestellt.

Rechts: In dieser Schnittzeichnung finden Sie die exakten Maße für die Aussparungen und Mulden in den Zwischenböden und Aufnahmebrettern sowie die nötigen Abstände der Bretter zueinander.

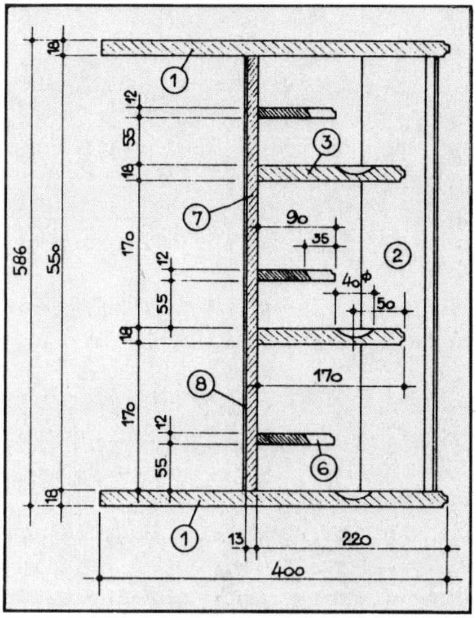

Materialliste

Pos.	Anz.	Bezeichnung	Maße in mm	Material
1	2	Boden/Abdeckung	650 × 400	Mahagoni massiv 18 mm dick
2	2	Seitenteile	550 × 110	
3	2	Zwischenböden	630 × 170	
4	4	Rahmenleisten	600 × 30	
5	4	Rahmenleisten	300 × 30	
6	3	Aufnahmebretter	530 × 90	Mahagoni 12 mm
7	1	Rückwand	550 × 370	Spanplatte 13 mm
8	2	Rückwände	560 × 220	Sperrholz 5 mm
9	12	Holzdübel	∅ 10	
10	8	Holzdübel	∅ 8	

2 Glasscheiben 3 mm dick; ca. 1,1 lfd. m Klavierband, 15 mm breit; Nägel; SPAX-Schrauben; Holzleim; ca. 3 lfd. m Fensterleisten 10 × 3 mm; 2 Möbelknöpfe; 2 Magnetschnäpper.

Pfeifen sollten möglichst nur einmal am Tag geraucht werden – klar, daß passionierte Pfeifenraucher eine recht umfangreiche Sammlung besitzen. Vor den größten Pfeifen-Feinden – Feuchtigkeit und Hitze - schützt am besten ein Pfeifenschrank. Da die Pfeifen „atmen", dürfen die Türen jedoch nicht luftdicht schließen.

Zeichnen Sie zuerst einen 1:1-Aufriß aller Teile auf Papier und übertragen Sie dann die Konturen auf das Holz.

Beim Mahagoni-Schrank müssen Rückwand (7) und Seitenteile (2) an einigen Rändern um 45 Grad abgeschrägt werden. Während die drei Rückwände (7 und 8) nur stumpf miteinander verleimt und mit Nägeln fixiert werden, erhalten die Seitenteile einen 5 Millimeter tiefen Falz für die Verbindung.

Zwischenböden und Aufnahmebretter werden mit den drei Rückwänden verleimt und vernagelt. Leim und Holzdübel verbinden Seitenteile und Zwischenböden ebenso wie den Korpus mit Boden- und Deckplatte.

Für die Mulden in den Zwischenböden jeweils die Mittelpunkte und äußeren Radien anzeichnen und mit einem 25-mm-Forstnerbohrer 12 Millimeter tief ausbohren (Bohrständer benutzen). Die Schräge arbeiten Sie mit einem 35-mm-Holhkehlfräser. Für die Aussparungen in den Aufnahmebrettern haben wir jeweils ein Brett mit einem Stück Abfallholz und einem Rundholz unterlegt, so daß eine 45-Grad-Schräglage erreicht wurde, und mit dem 25-mm-Forstner-Bohrer durchbohrt. Das restliche Holz wird mit der Stichsäge entfernt.

Die Rahmenleisten falzen, mit einer Hohlkehle verzieren, auf Gehrung schneiden und stumpf verleimen. Glasscheibe einsetzen und befestigen, Griff, Klavierband und Magnetschnäpper anbringen. Türen montieren, ausrichten und wieder demontieren. Den Schrank wässern, handschleifen (240er Körnung), beizen, Schnellschliffgrund auftragen, handschleifen und lackieren. Die Innenauskleidung mit Spiegelglas lassen Sie am besten vom Glaser machen.

Die Pfeifenkopfmulden werden mit dem Hohlkehlfräser aus den Auflagebrettern herausgearbeitet.

Und so bohrt man die Aussparungen für die Pfeifenhälse. Für beide hier gezeigten Arbeiten empfiehlt sich ein Bohrständer.

Spiegelsäule
melodies

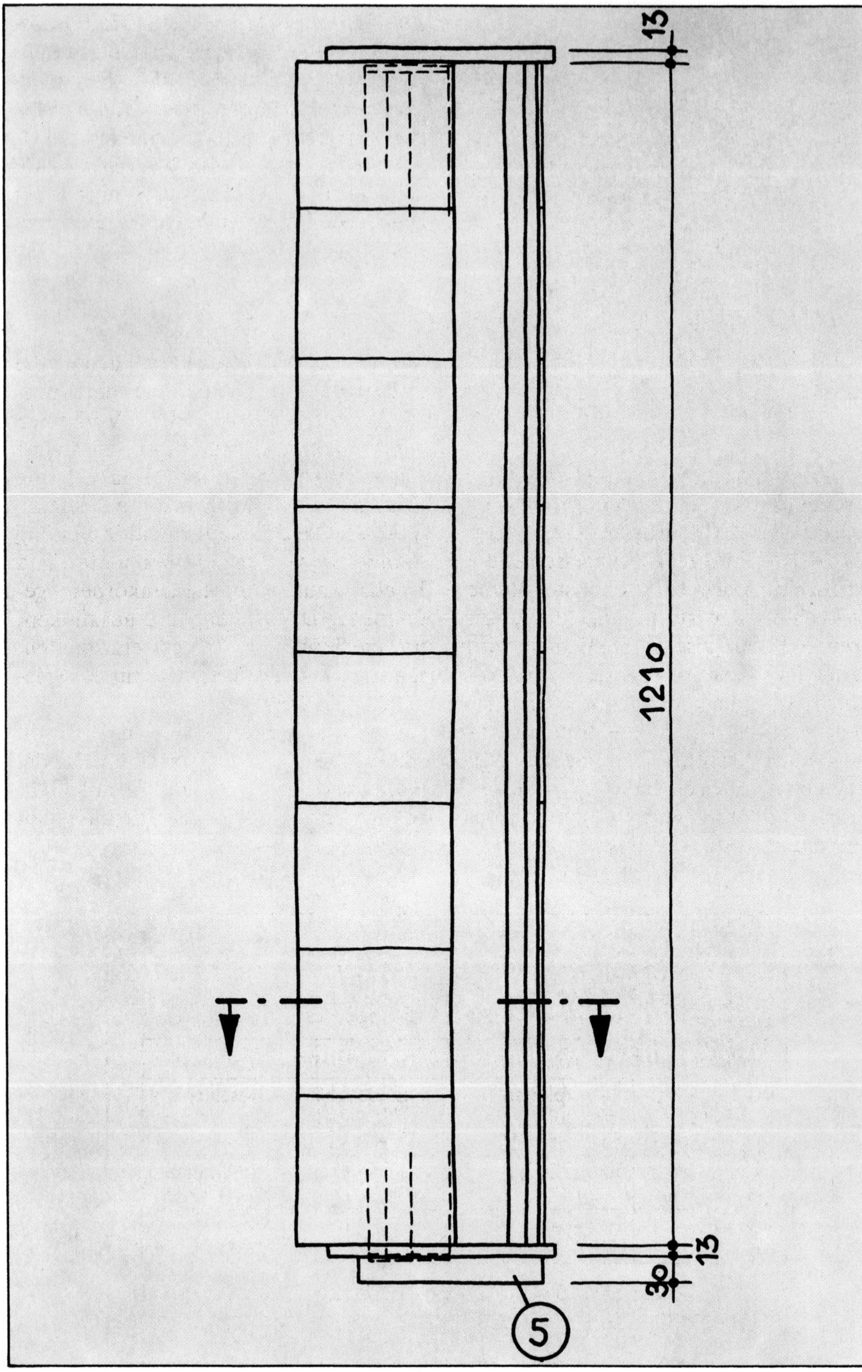
13
1210
13
13
30
5

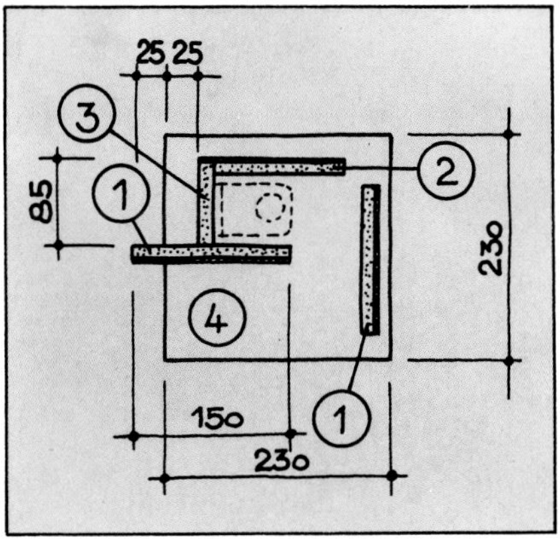

Die Säule im Querschnitt: Die Positionen (1) und (2) werden mit Spiegeln bestückt und müssen daher besonders genau ausgeschnitten werden, um glatte Kantenabschlüsse zu erzielen. Das Licht der Leuchtstoffröhre tritt an zwei Öffnungen indirekt aus und sorgt so für die gewünschte behagliche Beleuchtung.

Indirekte Lichtquellen haben immer einen besonderen Reiz, vor allem aber, wenn sie dekorativ „verpackt" sind. So wie bei dieser Spiegelsäule, die gleichzeitig noch Ihre schönste Blume ins rechte Licht rückt. Die klare, fast strenge Form unserer Stehlampe wird durch die Verkleidung der weiß beschichteten Spanplatten mit Spiegelkacheln noch unterstrichen. Eine Warmton-Leuchtstoffröhre im Inneren sorgt für eine angenehme indirekte Beleuchtung. Da man beschichtete Platten nicht verleimen kann, wird die Beschichtung jeweils an den Stellen, an denen die Bretter verleimt werden, mit der Kreissäge entfernt. Nach dem Verleimen werden die Verbindungen zusätzlich mit SPAX-Schrauben (dabei die Schraubenköpfe versenken) gefestigt.

Sind Stecker, Schalter und Zuleitung montiert, werden Bodenplatte und Deckel auf den Säulenkörper geschraubt. Die Bodenplatte ausklinken, um die Höhe von 120 cm einzuhalten. Dann kommen Sie genau mit 25 Spiegelkacheln (15 × 15 cm) aus.

Bevor Sie die Spiegelkacheln, die es in selbstklebender Ausführung im Handel gibt, aufkleben, werden die auf Gehrung gesägten Sockelleisten unter den Boden geleimt.

Materialliste

Pos.	Anz.	Bezeichnung	Maße in mm	Material
1 2 3	2 1 1	Trägerplatten Trägerplatte Abdeckplatte	1210 × 150 1210 × 131 1210 × 85	beschichtete Spanplatte 19 mm dick
4	2	Boden/Deckel	230 × 230	Spanplatte 13 mm dick
5	4	Sockelleisten	190 lang	Kiefer 30 × 20 mm

24 Spiegelkacheln 15 × 15 cm; 1 Leuchtstoffröhre, 120 cm lang, mit Halterung; SPAX-Schrauben; Holzleim.

Da sich die Resopalbeschichtung der Platten nicht stabil verleimen läßt, muß sie an den Leimkanten teilweise entfernt werden – mit Hilfe einer Kreissäge eine leicht zu bewältigende Arbeit.

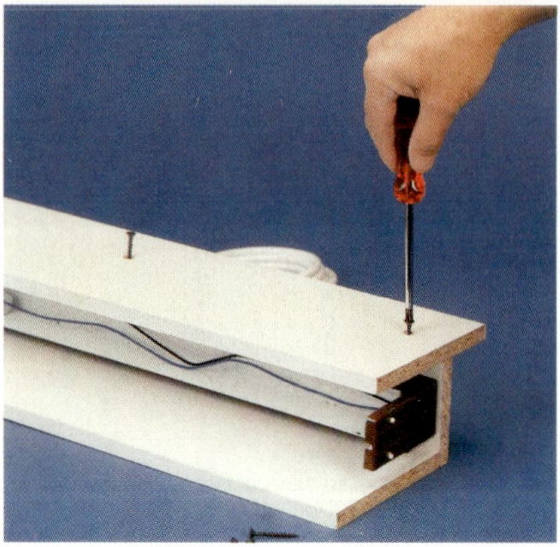

Nach dem Verleimen sollte man die Verbindungen noch mit Senkkopfschrauben sichern.

Die Bodenplatte muß ausgeklinkt werden, um der Halterung der Leuchtstoffröhre Platz zu geben. Andernfalls müßte man das Maß von 1,20 m überschreiten, was dann wieder nicht mehr zu dem Maß der Kacheln passen würde.

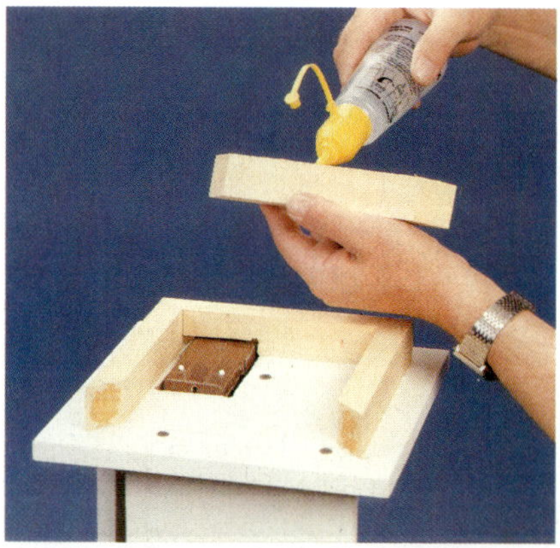

Jetzt werden noch die Sockelleisten mit Weißleim unter die Bodenplatte geleimt (Leim in engen Schlangenlinien auftragen), und dann können die Kacheln aufgebracht werden.

Skistation

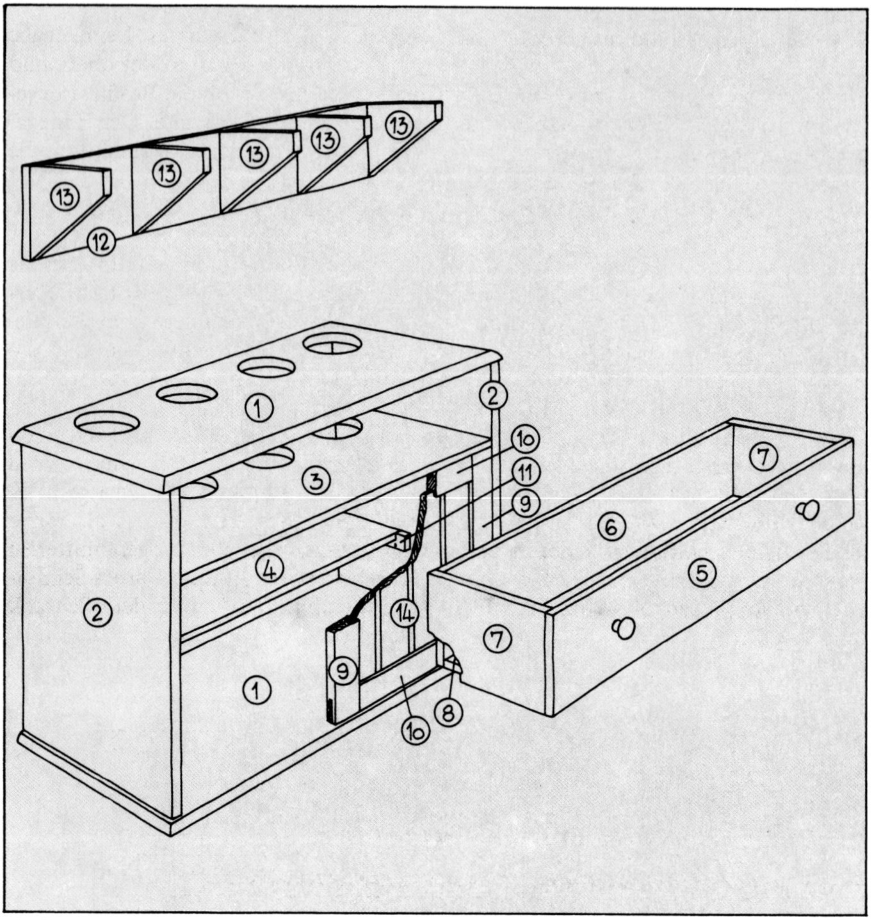

Auf unserer Zeichnung läßt sich der Aufbau des Skischranks und des Regals gut erkennen. Die Schublade ist unter Leimzugabe stumpf zusammengedübelt; die Frontplatte erhält zwei Möbelknöpfe als Griffe. Das fertige Möbelstück sollte auf jeden Fall einen schützenden Klarlack oder einen Wachsauftrag erhalten. Das kleine Wandregal (Zeichnung oben), das als Führung der Skipaare gedacht ist, besteht aus einem Wandbrett und fünf Rippen. Alle Teile werden miteinander verdübelt.

Pistenhaie und solche, die es noch werden wollen, können sich für unseren Vorschlag sicher gleichermaßen begeistern. Dabei spielt es keine Rolle, ob Sie nur steile Hänge hinabflitzen oder aber auf der Loipe Ihre Spur suchen. Unsere „Übersommerungs-Garage“ für vier Paar Skier findet in jedem Keller oder jeder Garage ihren Platz. Vielleicht haben Sie ja noch eine andere Möglichkeit, um das neue Stück zu deponieren. Der Skischrank ist nicht schwierig anzufertigen. Wir zeigen Ihnen, wie die Verarbeitung des 18 mm

dicken Kiefer-Leimholzes problemlos gelingt.
Um die Löcher exakt auszufräsen, griffen wir zu einem Trick. Hierzu wurde der Auflageteller der Oberfräse mit Holz aufgedoppelt und dann festgeschraubt. Die Öffnungen für die Skier haben einen Durchmesser von 12 Zentimetern. Auf dem oberen Boden und dem Zwischenboden jeweils deckungsgleich die vier Kreismittelpunkte markieren und Kreiskonturen aufzeichnen. Im Zentrum durchbohren und von unten eine Schraube eindrehen. Die Oberfräse so positionieren, daß sie sich um die in der Bohrung sitzende Schraube drehen läßt und dabei die Kreiskontur exakt innen abfährt. Nun mit jeweils kleinen Tiefenschritten rundum fahren; beim letzten Schritt müssen Sie aber bitte gut aufpassen, da dann die Führung weg ist.

Bevor der Korpus unter Leimzugabe verdübelt wird, erhalten der obere und untere Boden mit einem Profilfräser jeweils noch eine Zierkante. Der Einlegeboden liegt auf zwei Auflageleisten, die eine Aussparung in der Größe des Bodens haben und mit Spanplattenschrauben befestigt werden.
Nachdem die Türrahmen mittels Schlitz und Zapfen zusammengefügt sind, erhalten sie an den Innenseiten rundum einen Falz zur Aufnahme der Füllungen. Diese bestehen aus Profilbrettern. Vorher müssen Sie die Breite der Füllungen genau ausmessen und die Bretter dann vermitteln. Oben und unten auf die Füllungen jeweils ein Restholzstück aufschrauben, welches als Fixierung dient. Vier der ausgeschnittenen Kreise werden mit Spanplatten-Schrauben als „Füßchen" unter dem Schrank befestigt.

Materialliste

Pos.	Anz.	Bezeichnung	Maße in mm	Material
1	2	Böden	830 × 468	
2	2	Seitenwände	614 × 450	
3	1	Zwischenboden	764 × 450	
4	1	Einlegeboden	762 × 180	
5	1	Schubladenfront	760 × 186	
6	1	Rückwand	724 × 186	
7	2	Seitenteile	275 × 186	Mahagoni Kiefer Leimh. 18 mm dick
8	1	Boden	724 × 257	
9	4	Rahmenteile	402 × 40	
10	4	Rahmenteile	361 × 40	
11	2	Auflageleisten	210 × 35	
12	1	Wandbrett	800 × 200	
13	5	Rippen	200 × 100	
14	8	Füllungsbretter	342 lang	Profilholz

2 Möbelknöpfe; 4 Topfscharniere; Spanplatten-Schrauben; Holzdübel; Holzleim; 4 Restholzstücke (Fixierung der Füllungen).

Die runden Öffnungen des Schranks werden mit der Oberfräse hergestellt. Dazu doppelt man zweckmäßigerweise den Auflageteller der Fräse mit Holz auf, denn dort findet die Führungsschraube dann ihren Halt.

Auf eine Rückwand verzichtet man besser, um für genügend Luftzirkulation zu sorgen, die feuchtes Material schneller trocknen läßt. Gut zu erkennen ist der schmale Zwischenboden, der den hohen Stiefelschäften genügend Platz läßt.

Die beiden Türrahmen wurden mit Schlitz und Zapfen hergestellt. Die Innenseiten der Rahmen bekommen einen Falz, der die Profilbretter der Füllung aufnimmt.

Die bewegliche Verbindung zwischen Türen und Schrankkorpus übernehmen Topfscharniere. Die Löcher dafür stellt man am besten mit dem Forstnerbohrer her – eine Arbeit, bei der ein Bohrständer sehr hilfreich ist.